D1584294

COLLECTION FOLIO

Henri Bosco

L'âne Culotte

Gallimard

Ce récit, dans sa simplicité, raconte des événements fabuleux. D'un petit village provençal blotti au pied de la montagne, le regard d'un enfant s'élève vers un mystérieux domaine caché, plus haut, dans une combe. Là vit un vieil original venu on ne sait d'où, Monsieur Cyprien. Jamais il ne descend au village, mais à l'occasion il y envoie son messager, l'âne Culotte.

L'enfant marchant derrière l'animal étrange pénètre à son insu dans le domaine. Il vient de toucher au Paradis terrestre. En bas au village, vivent les hommes. En haut à la lisière du ciel, fleurit un paradis chargé de tentations, parcouru par les démons les plus inquiétants du mystère et de l'aventure. Tout à coup passe l'ombre de l'amour... Elle saisit deux enfants perdus entre deux mondes, deux enfants qui du village natal au Jardin enchanté tracent secrètement les liens qui détruiront la paix rustique de la plaine et l'envoûtement de Monsieur Cyprien.

Henri Bosco est né en 1888 à Avignon d'une famille provençale et piémontaise. Dom Bosco était le cousin de son grand-père. Son père était tailleur de pierre et luthier.

Dès l'âge de sept ans il commence à écrire des romans. Après ses études à Avignon, Grenoble, Florence, agrégé d'italien, il enseigne à Avignon, Bourg, Philippeville, Naples, Rabat. Il écrit son premier grand roman, Pierre Lampédouze, et n'abandonne plus ce genre où il connaît rapidement le succès. De nombreux prix littéraires couronnent son œuvre qui comporte une trentaine de romans et des livres pour enfants : le Prix Renaudot en 1945 pour Le Mas Théotime, le Prix Louis Barthou en 1947, le Prix des Ambassadeurs en 1949, pour l'ensemble de son œuvre, le Grand Prix national des Lettres en 1953, le Grand Prix de la littérature pour les jeunes en 1959 et, enfin en 1968, le Grand Prix de Littérature de l'Académie française.

Jusqu'à sa mort en 1976, Henri Bosco consacrait une large part de sa vie à la Fondation de Lourmarin dont il était administrateur.

L'Ane Culotte est le premier ouvrage d'une trilogie qui se poursuit avec Hyacinthe et Le Jardin d'Hyacinthe.

A Edy-Legrand.

Récit de
Constantin Gloriot

Chaque année, nous arrivions à Peïrouré pour la rentrée des classes. Les vignes rouges couvraient encore la campagne. Mais vers le 15 octobre, la pluie descendait des collines et, au premier coup de vent, toutes les feuilles partaient des arbres. Averses et rafales se succédaient et, pendant quatre longs mois, le mauvais temps régnait sur le pays. Si l'automne nous donnait encore quelque belle journée, on n'en sentait pas moins tomber la chaleur du soleil qui commençait à se rapprocher de l'horizon ; et peu à peu l'automne cédait les plus belles parties du ciel à la bise. Dès les premiers jours de décembre, l'hiver s'était installé sur la montagne. Des fenêtres de la petite école tournée vers le nord, on voyait les premières neiges passer les crêtes. Déjà on avait allumé les poêles et les classes sentaient la laine et le cuir humide. Déjà sans doute, sur les hauteurs, les bêtes libres, en quête de terriers plus chauds, avaient changé de quartiers. Toutes les cheminées fumaient sur le village, et l'on déchargeait à grand fracas des charretées de sarments devant la porte du boulanger. Depuis longtemps, l'église était devenue froide et, sauf le dimanche, on n'y rencontrait plus guère, en dehors des offices, de ces fidèles furtifs qui aiment à confier en passant une petite prière à leur saint de prédilection.

Pourtant on s'y réunissait en nombre imposant, à l'occasion d'une fête singulière célébrée entre la Saint-Ambroise et la Saint-Honorat, à l'instigation de quelques familles du pays. On envoyait le plus jeune garçon de la maison chez le curé du village, avec un bel écu d'argent dans la main, pour lui demander de dire en son nom la première messe des neiges. C'était, il m'en souvient, un office en l'honneur de la Vierge que l'on célébrait un peu avant la Noël, vers onze heures du matin. L'autel, illuminé par une multitude de beaux cierges de cire, étincelait dans un nuage d'encens ; le vieux curé, l'abbé Chichambre, faisait rondement un prêche rustique ; la notairesse tenait l'harmonium ; les communiantes, le nez en l'air, la bouche grande ouverte, envoyaient vers Dieu des cantiques, et une fillette habillée de blanc distribuait des petits pains chauds à la porte de l'église.

Je me suis souvent demandé pour quelle raison on avait institué cet office. J'imagine que l'on voulait ainsi honorer l'hiver, quelques jours avant la naissance de Dieu, et marquer le début de la dure saison par un mouvement de tendresse.

L'abbé Chichambre, qui avait une belle voix de basse, chantait à pleins poumons :

> *Que Notre-Dame nous protège,*
> *Afin qu'à la dure saison,*
> *Nous puissions, devant nos maisons,*
> *Trouver des sources dans la neige...*

Et comme la Nativité n'était pas loin, tout le monde reprenait en chœur :

Voici Noël dans les planètes !
Loups à la montagne et vents à la mer...
A travers ton ombre, ô Tempête,
Nous pendrons l'Étoile au front de l'hiver.

Ce brave abbé Chichambre !... Il avait un don, et qui était de voir le Paradis. Il le voyait réellement ; il le voyait, comme vous et moi nous voyons en ce moment le troupeau de M. Barjavel traverser la route en dessous du lavoir, ou le mulet de Martingot arrêté devant le portail du maréchal-ferrant.

Seulement, son paradis, ce n'était pas un paradis de cathédrale, c'était un paradis pour petite paroisse. Un joli paradis humain, tiède, bien clos, un de ces paradis de campagne qui groupent trois cyprès autour d'un puits. Tendrement il nous le montrait, de loin, derrière une masse de platanes avec ses dix maisons et le bout d'un clocher trapu ; et l'on se disait qu'il y ferait bon vivre. C'était un paradis orienté au sud, vers la chaleur, un paradis modeste, au milieu d'un hectare d'arbres fruitiers ; un paradis blotti au pied d'une haute falaise couronnée de figuiers sauvages, dans un creux, à l'abri de la pluie et du vent ; un paradis parfumé de plantes médicinales, comme la bourrache, la sauge et l'arnica ; un paradis sur lequel veillait un vieux saint un peu somnolent à barbe blanche, un vieux saint assis devant la porte, sur une chaise de paille ; un paradis que visitait, chaque année, tout seul, et monté sur son âne, le Dieu de la Fête des Palmes. Il s'y entretenait familièrement de l'état du ciel, du produit des jardins et du vin des dernières vendanges, avec les habitants venus à sa rencontre, cependant que, laissé en liberté, son âne broutait, sur le bord du chemin, la gentiane bleue et la tige sucrée de la douce-amère.

Naturellement, nous l'admirions, ce paradis.

On nous avait bien raconté aussi, à la veillée, que,

dans d'autres quartiers du ciel, plus distingués sans
doute, on pouvait assister à de merveilleux concerts
donnés par des anges musiciens qui, les joues gonflées
de vent, soufflaient dans le hautbois ou la trompe
marine. Mais (cela est affreux à dire) personne n'en
avait cure et, à l'espoir de rencontrer un jour là-haut
ces personnages mélodieux et anonymes, nous préfé-
rions tous le plaisir d'y retrouver, peut-être, quelque
coin connu, tel le vieux puits du maçon Fenouillet
ombragé d'un beau chêne vert sous lequel on allait
jouer aux billes, ou la petite bergerie de Nicolas
Pintastre si jolie à flanc de colline avec son cadran
solaire peint en bleu au-dessus de la porte.

Et tout cela par la faute de l'abbé Chichambre. Car
il parlait trop bien, l'abbé Chichambre. Il avait
l'éloquence du cœur. Elle l'emportait tout à coup si
loin que jamais il ne finissait son prêche sans vous
recommander, non seulement la charité chrétienne
envers les hommes, mais encore (ce qui est rare à la
campagne) un peu de bonté pour les bêtes.

— Mes enfants, nous disait-il, vous pensez bien
que ce n'est pas simplement pour se donner un
divertissement agréable que saint François d'Assise a
parlé aux pinsons et aux bergeronnettes. Si le Paradis
est un jardin, il y pousse des arbres ; et s'il y pousse
des arbres, comment voulez-vous qu'il n'y vienne pas
des oiseaux ? Alors est-ce que vous vous voyez là-
haut en train de dénicher des roitelets à la barbe des
anges ? Quel affreux scandale ! Saint Pierre aurait tôt
fait de vous lancer, la tête en bas, les pieds en l'air,
dans le trou le plus noir du Purgatoire. S'il en est
ainsi, pourquoi donc voulez-vous qu'un crime qui, au
ciel, paraîtrait abominable, devienne un péché gros
comme le doigt, sous prétexte que vous habitez à
Peïrouré sous les platanes ?

Il n'y avait rien à répondre à cette question

éloquente. C'est pourquoi, sans désemparer, l'abbé
concluait d'une voix forte :

— Et maintenant que j'ai parlé, j'espère qu'on ne
verra plus Antoine Toquelot faire omelette avec des
œufs de rossignol à l'ormeau de la Bastidone ni
Claudius Saurivère taquiner le canari de Mme Calbou-
tier, comme il le fait, toutes les fois qu'il passe sous sa
fenêtre, rue de la Vieille-Citerne.

L'abbé se taisait.

Nous cependant nous n'avions garde de bouger, car
nous savions qu'on allait entendre autre chose.

L'abbé ayant repris haleine, tiré son grand mou-
choir à carreaux, reniflé, soufflé, replié lentement
l'étoffe, prenait son temps pour réfléchir, puis finissait par dire :

— Hé bien ? qu'est-ce que vous attendez là avec
vos grandes oreilles ? J'ai parlé, il me semble… Allons,
ouste !… Prenez la porte !…

Comme personne ne bronchait encore, il nous
regardait un moment, hochait la tête, puis ajoutait sur
un ton confidentiel :

— Et maintenant, si vous voulez faire plaisir à
votre vieux curé qui somme toute vous aime bien,
soyez bons pour l'âne Culotte.

Il avait bien raison, ce pauvre abbé Chichambre, de
craindre qu'on manquât de respect à cet âne. Car
c'était bien l'âne le plus singulier qu'on pût rencontrer
par les sentiers qui montent de Peïrouré aux collines.
Pendant le printemps et l'été, passe encore ! Par ses
dehors rien ne le distinguait de tous les autres ânes qui
font craquer le chardon sous leurs grosses dents
jaunes, à vingt lieues à la ronde autour de ce beau
village où l'abbé Chichambre nous enseignait la
charité. A première vue, un âne comme beaucoup

d'ânes, un âne moyen ; non pas un âne pétulant, un de ces ânes qui sentent encore le lait de l'ânesse, qui cabriolent sur les talus, qui ruent dans les brancards, lèvent la croupe et braient comme douze trompettes dès qu'ils reniflent l'odeur enivrante de l'âne, et Dieu sait que c'est une odeur répandue !... Pas davantage un de ces vieux ânes butés, qui marchent le museau entre leurs pattes, sournois, rusés, aigris, la lippe baveuse, méditant la ruade, le coup de dent, l'arrêt brusque, le départ en trombe et qui, patients sous les plus rudes volées de bois vert, attendent de passer devant une mare fangeuse pour courir s'y vautrer avec toute leur charge sur le dos.

Non !

Mais un âne discret, un âne un peu sur le retour, peut-être, le poil gris, bien brossé ; un âne à l'oreille nonchalante, un âne à l'œil modeste ; un âne à la démarche mesurée ; un âne sans insolence ni bassesse ; un âne qui se savait âne et ne rougissait point de l'être, mais qui l'était bien ; qui savait marcher, s'arrêter, repartir, tourner, boire, brouter, regarder, écouter, obéir, tout comme un âne ; un âne qui aimait certainement la réflexion ; un âne qui avait beaucoup vu, beaucoup appris, beaucoup pardonné ; un âne affectueux, sensible aux bonnes manières, poli dans ses contacts avec les ânes et déférent sans platitude dans ses relations avec les hommes ; un âne qui pouvait se présenter partout, chez l'épicier, à la porte de l'auberge, devant l'Hôtel de Ville, sans causer un de ces bruyants scandales d'âne, comme en provoquent quelquefois par leurs cris et leur attitude incongrue les autres ânes ; un âne pour tout dire qui se trouvait à sa place aussi bien dans son écurie que sur le parvis de l'église ; un âne doué d'âme, bon aux faibles, honorant ses dieux ; un âne qui pouvait passer partout la tête haute, car il était honnête ; un âne qui, s'il y avait une justice parmi les ânes, eût été la gloire de sa race.

Hélas ! toutes ces admirables qualités, qui lui valaient beaucoup de considération dans le village, elles risquaient chaque année, à l'entrée de l'hiver, de tomber dans l'oubli. Cette estime qu'on lui témoignait et dont à part soi il faisait certainement ses délices, il était menacé de la perdre dès les premiers froids de décembre. Car alors cet âne parfait portait des pantalons. A vrai dire, ces pantalons ne recouvraient que ses deux pattes antérieures. C'étaient de beaux pantalons de velours brun, côtelé, luisant, attachés au poitrail et au cou par des bretelles de cuir bien astiquées. L'échine et l'arrière-train recevaient la protection d'une couverture de laine et un bât sanglé avec soin fixait ce remarquable équipement.

Le malheur, c'est qu'il attirait singulièrement l'attention et si, comme l'a affirmé le Sage, il arrive que l'attention soit déjà de l'amour, le plus souvent à notre avis, elle n'est que la mère de la malice.

A preuve que, la première fois que je rencontrai Culotte, je ne pus m'empêcher d'éclater de rire tellement je le trouvai ridicule.

Précédé et suivi de quatre ou cinq vauriens qui s'égosillaient à lui lancer des quolibets, il déboucha gravement de la rue Lassissole. Il portait ses beaux pantalons. Nullement gêné dans sa marche, il s'avançait à pas minutieux, faisant claquer gentiment ses petits sabots sur le caillou pointu.

— Tu perds des braies, Culotte ! criaient les garnements.

Et ils braillaient une chanson :

> *Faites du feu, il va neiger.*
> *Le curé rentre ses carottes,*
> *Voici l'hiver ; tante tricote,*

> *Le facteur porte un cache-nez*
> *Et le baudet a mis culotte,*
> *Pour aller chez le boulanger!*
> *Faites du feu, il va neiger...*

Cette chanson était le fait du receveur des postes, jeune citadin à lunettes et qui, au milieu de ces paysans, posait au bel esprit.

Culotte qui souffrait (depuis je l'ai su) mais qui n'en laissait rien paraître, s'arrêta devant la boulangerie. Il portait deux grands couffins. Le boulanger déposa trois énormes pains bis et un sac de son dans le couffin de droite, puis il offrit une poignée de blé à l'âne qui la mangea proprement dans sa main. Après quoi Culotte traversa la place de l'Horloge et fit une station à la devanture de l'épicier-droguiste. Il reçut de ce commerçant quatre boîtes de sucre et cinq ou six morceaux de savon. Là aussi on lui fit une politesse ; on lui offrit quelques belles feuilles de chou craquantes.

S'étant remis en chemin, toujours suivi de son cortège, il contourna la mercerie, croisa la mule de Cocardo le pépiniériste, sagement, sans même lui donner un regard, enfila la venelle des Pistachiers, coupa la Grand'Rue, avec prudence, but deux ou trois gorgées au bassin de la Belle-Croix, dépassa les dernières maisons et se retrouva dans la campagne.

Fait curieux, les gamins s'arrêtèrent là. Aucun ne le suivit à travers champs et, fait plus singulier encore, si on ne s'était point privé de le railler, personne n'avait essayé le moindre geste : pas un caillou, pas un coup de bâton sournois. Certes on sentait bien que l'envie n'en manquait pas à ces saute-buissons qui par ailleurs comptaient à leur actif plus d'un tour pendable. Il y avait là de petits fripons, comme Sucot, le fils du Bohémien, qui raccommodait les corbeilles, un frisé,

aux dents de loup, à l'œil mauvais, petit, râblé et qui
ne respectait Dieu ni Diable. Mais tous, même Sucot,
s'ils allaient jusqu'aux limites de la moquerie, s'en
tenaient là. L'injure elle-même était rare, et Dieu sait
si elle coûte peu ! Un je ne sais quoi de puissant et de
tendre semblait veiller sur l'âne. Où qu'il allât, cette
bienveillance occulte l'accompagnait.

Quand il eut disparu à l'angle d'un vieux mur,
derrière le dos de la Chapelle, je fis comme les autres,
je m'arrêtai. Mais, tandis que les autres rentraient
bruyamment au village, moi, je fus retenu par le désir
de voir où se dirigeait cet âne singulier qui circulait
ainsi, seul, à travers la campagne. Je l'aperçus plus
loin, sur le pont de la Gayole. Ensuite il obliqua,
reparut devant l'oratoire de sainte Anne et finalement
je le perdis de vue dans ce bois d'oliviers qu'on
appelle le Quartier de Sagesse.

Je rentrai assez tard à la maison. J'habitais chez mes
grands-parents, grand-père Saturnin, grand-mère
Saturnine, dans un petit mas en bordure du chemin
d'Auribeau.

Là, avec nous, vivaient, patriarcalement encore,
deux braves serviteurs, comme hélas ! on n'en rencontre plus guère aujourd'hui, Anselme le berger et
Claudia, qu'on appelait aussi la Péguinotte.

Ni l'un ni l'autre n'étaient de la prime jeunesse.

Anselme, qui menait chaque matin, à petits pas,
trois ou quatre douzaines de moutons paître le
chiendent et le serpolet sur les premières pentes des
collines, pouvait bien compter soixante-dix hivers. Il
logeait dans la bergerie et y disparaissait dès les
premières ombres. Par contre, été comme hiver, on
l'entendait qui sifflait son chien dans la cour, aux
pointes de l'aube. Il savait baratter le beurre, fabri-

quer des fromages frais sur des claies de fenouil, tondre les moutons, et il portait un anneau d'or à l'oreille droite. Je l'admirais.

La Péguinotte, qui devait bien friser la soixantaine, rouge, râblée, le poil gris raide comme crin, avait accaparé les gros travaux domestiques. Elle lavait les carreaux, coupait le bois, allumait le feu, coulait la lessive, cassait les olives, salait le jambon, fumait le lard, repassait le linge, cuisait les confitures, servait la pâtée aux chiens, étrillait la mule, bêchait le potager et ne refusait jamais de donner un coup de main, quand on battait le blé en juillet, sur l'aire brûlante. Moyennant quoi elle s'était arrogé le droit de tout dire, et particulièrement ce qui lui semblait désagréable à entendre. Le plus souvent elle se plaignait. Rien ne pouvait la satisfaire. Elle avait un haut sentiment de la perfection. C'est pourquoi elle grondait le cochon, gourmandait la chèvre, morigénait la volaille et couvrait le chien de reproches. Parfois même, s'en prenant avec violence à l'Invisible, elle insultait les vents qui ne soufflaient pas à son gré.

Grand-père Saturnin, qui était bon et sourd comme un pot, n'y trouvait rien à redire. Quant à grand-mère Saturnine, je crois bien qu'au fond elle prenait plaisir à écouter la Péguinotte. Car la Péguinotte communément ne parlait que par sentences, proverbes et fleurs de poésie. C'est ainsi qu'elle illustrait toutes les saisons de petits dictons cueillis dans je ne sais quel jardin de populaire sagesse :

S'il fait beau le jour des Rameaux,
Enfonce un robinet dans ton plus vieux tonneau,

conseillait-elle un peu avant Pâques.

Pour chaque culture, elle pouvait fournir un bon avis :

> *Le jour de Sainte Basilide*
> *Va faire un tour à la bastide,*
> *Et si l'avoine y pousse bien*
> *C'est que tu es un bon chrétien.*

Le mauvais temps ne la prenait jamais au dépourvu. Elle disait :

> *Quand mouche reste à la maison,*
> *C'est de l'orage à l'horizon.*

Enfin on éprouvait beaucoup de mélancolie à lui entendre répéter, vers la fin de l'automne, alors que les oiseaux migrateurs traversent le ciel déjà tourmenté :

> *Canards qui volent haut dans l'air*
> *Annoncent neiges de l'hiver.*

Naturellement quand je revins à la maison, c'est sur elle que je tombai. Aussitôt elle me gronda :

— C'est trotte-chemin qui rentre ! Du matin au soir dans la rue ! Et avec qui encore ? Avec toute la galopinasse du village ! Quelle honte ! Je parie que tu as encore un trou à ta culotte. C'est toujours à recommencer ! Je raccommode et Monsieur troue ! Il troue en haut, il troue en bas, il troue au genou, il troue sur la cuisse, il troue au derrière ! Madame Saturnine, j'en pleure !…

Grand-mère avait trop l'habitude de ces plaintes pour s'émouvoir. Elle demanda :

— La soupe est prête ?

— Oui, madame, mais ce galampian nous a mis tellement en retard, qu'elle a failli brûler vingt fois ! Allons, viens te laver les mains, gratte-semelle !

Gratte-semelle alla se laver les mains.

Pendant tout le repas je ne fis que penser à l'âne Culotte. La Péguinotte ne manqua pas de remarquer mon air songeur. Sa figure se couvrit d'inquiétude.

— Tu nous caches quelque chose, soupirait-elle. Au fait, où as-tu pratiqué cet après-midi ?

Je baissai la tête car je n'aimais pas raconter mes fredaines devant grand-mère Saturnine. Grand-mère Saturnine ne grondait guère, mais il arrivait qu'on vît se former sur le coin de sa bouche un petit sourire de travers. Il restait là un bon moment, juste ce qu'il fallait pour vous donner envie d'entrer sous terre.

C'est pourquoi je me tus. Quand le repas fut terminé, je rejoignis la Péguinotte à la cuisine.

Je savais qu'elle m'attendait. De tout temps elle avait été ma confidente. Curieuse autant que bavarde, tendre autant que bougonne, il ne se trouvait personne au monde qui pût accueillir avec une sympathie aussi vivante, ni commenter avec autant de verve, mes petits secrets.

— Alors, me dit-elle, qu'est-ce que tu as fait, mauvais garnement ?

— J'ai vu un âne.

— Un âne ? quel âne ?

— Un âne qui portait des pantalons.

Sa figure se rembrunit.

— Et après ?

— Après, je l'ai suivi.

— Tu l'as suivi ?

Le souffle coupé, elle s'arrêta de rincer la vaisselle.

— Jusqu'où, tu l'as suivi ?

— Jusqu'au Clos de la Chapelle.

Elle respira.

— Et tu étais seul ?

— Non, il y avait aussi Sucot, Toquelot, Claudius, Innocent, Rapugne...

S'étant essuyé les mains, elle se retourna et s'assit, la figure sévère.

— Constantin, me dit-elle (car je m'appelle Constantin), jure-moi devant Dieu, jure... que si jamais tu rencontres de nouveau cet âne...

— Hé bien ?

— Tu le laisseras passer son chemin, sans le regarder, sans le suivre, sans lui adresser la parole.

— Hé ! Péguinotte, adresser la parole à un âne ! Et pourquoi faire, dites ?

— Pourquoi, Bonne-Mère-des-Anges ? Un âne qui porte des culottes, comme un chrétien !... Et tu me demandes pourquoi ?

— Mais Péguinotte, M. le Curé ne manque jamais de nous conseiller, après le catéchisme, de respecter beaucoup cet âne.

— M. le Curé est trop bon, voilà tout. Et d'abord M. le Curé ne sait pas. S'il savait...

— S'il savait quoi ?

La Péguinotte baissa le nez, regarda ses grosses mains rouges et dit :

— S'il savait d'où il vient l'âne Culotte...

— Et d'où il vient ? Tu le sais, toi, dis ?

Elle se leva, prit une pile d'assiettes et murmura :

— Tais-toi. Tu m'en ferais trop dire. Certainement que je le sais. Mais par bonheur, je sais aussi me taire. Parce que, comme on dit chez moi :

> *Celui qui parle sans raison*
> *Tire le diable à la maison.*

— Et maintenant ça suffit. Va te coucher !

Je crus que, selon son habitude, en feignant de m'envoyer au lit, elle voulait m'inciter à lui poser d'autres questions. Mais j'eus beau la questionner, elle ne voulut rien entendre.

— J'en ai assez, grommela-t-elle. Je rentre dans mon coquillage. Bonne nuit, mauvaise plante.

Et elle se retira dans son antre.

Ni le lendemain, ni les jours suivants je ne pus rien tirer d'elle. Son obstination à se taire accrut mon envie de savoir. Mais qui interroger ?

J'avais bien l'idée qu'Anselme aurait pu m'apprendre pas mal de choses ; car Anselme, depuis quelque cinquante ans qu'il pratiquait la montagne, en connaissait jusqu'au moindre caillou. Mais quoiqu'il ne fût pas de relations désagréables, il m'inspirait un peu de crainte. Sa barbe blanche, son air taciturne, son goût marqué de vivre à l'écart avec ses bêtes, ne me donnaient guère d'ardeur à l'aborder.

A l'école, je n'avais pas lié d'amitié assez sûre pour livrer à un camarade le secret d'une curiosité qui pouvait paraître ridicule et prêter aux sarcasmes. La rentrée des classes m'avait ramené, en compagnie d'une quarantaine de garçons mal lavés, devant un vieux tableau noir que je n'aimais point. Sous ce tableau on voyait M. Chamarote, notre maître. Pardessus s'étalait une carte murale où l'on découvrait toute l'étendue de la France avec ses 90 départements diversement coloriés. C'était une grande carte triste, sans relief, où dominaient le violet et le mauve. Bien que les chemins de fer y fussent marqués en grosses lignes rouges, elle n'inspirait pas l'envie de voyager.

M. Chamarote n'était ni un sot, ni un mauvais homme, mais il avait affaire à une bande de galopins. Ils lui donnaient assez de tablature pour que son enseignement s'en ressentît. C'est pourquoi, avec lenteur et précision, il nous apprenait uniquement des choses utiles ; car il prétendait qu'elles s'accordent seules à une honnête discipline. Il ne fallait pas lui en demander davantage. Aussi, comme vous le pensez bien, pas un instant je ne songeai à le questionner au sujet de l'âne Culotte.

M. Chamarote m'eût certainement répondu qu'il n'aimait pas les ânes.

A qui donc en parler ? Comment savoir ?

L'abbé Chichambre ? Mais de quelle façon aller à lui ? Il me paraissait si mystérieux ! Aussi, tout bien examiné, il ne me restait personne. M'en remettre au hasard ? Peut-être. Ce fut bien fait. Le hasard me servit.

Un après-midi, après la classe, Claudius Saurivère me proposa d'aller poser des gluaux à l'orée d'un petit bois situé près du pont de la Gayolle. L'escapade était d'importance, car il fallait pousser jusqu'au pied des collines. Il faisait très froid, la neige avait déjà passé les crêtes et une bise coupant vous mordait la peau.

— Bon pour la chasse ! ricanait Claudius.

Nous posâmes une demi-douzaine de gluaux, puis nous avisâmes un buisson où nous cacher. Soudain, comme nous en approchions, surgit une vieille femme qui ramassait du bois mort. Elle nous avait surveillés. M'ayant reconnu, elle cria :

— Tu n'as pas honte ! Tuer les oiseaux du ciel ! Bon pour Claudius, ça ! Mais toi, Constantin ! En rentrant je dirai tout à ta grand-mère.

Là-dessus elle s'en alla vers le village avec son fagot, en grommelant des paroles confuses.

Claudius se moqua de moi. Le lendemain, je serais la risée de toute la classe.

Aussi affectant une belle désinvolture, je déclarai à Claudius qu'étant un homme, peu m'importaient les menaces d'une vieille. Je n'avais pas de comptes à rendre à ma grand-mère et je resterais avec lui dans les bois jusqu'à l'ombre tombée.

Il feignit de me croire et je fis semblant d'être brave, mais en fait une noire inquiétude me dévorait.

Nous prîmes un moineau et une malheureuse bergeronnette, que Claudius étouffa aussitôt avec la plus parfaite insensibilité. A part moi, je trouvai cela abominable, mais n'osai rien dire. Claudius fourra les oiseaux dans sa poche et déclara qu'il s'en régalerait en cachette de ses parents.

A l'écouter parler ainsi j'avais le sentiment de me compromettre de la pire façon et je me sentais au fond très malheureux, d'autant que mon inquiétude augmentait à mesure que je m'approchais de la maison. Et je n'avais point tort.

J'y trouvai visage de pierre. La Péguinotte ne me regarda pas. Par contre grand-mère Saturnine, d'habitude si indulgente, me fixa avec des yeux tellement sévères que j'en perdis contenance. Cet accueil glacial fut suivi d'une semonce que j'écoutai sans souffler. J'aurais dû pleurer, mais un orgueil mauvais m'en empêcha.

On m'interdit la fréquentation de Claudius et consorts.

— Je n'ai pas l'intention de t'emprisonner ici, me dit grand-mère Saturnine, mais je ne veux plus de ces vagabondages, surtout du côté de ces collines. Désormais tu ne dépasseras pas le pont de la Gayolle. J'ai dit. Va te coucher.

J'y allai, mais je ne dormis guère ; car, à partir de ce moment, je n'eus plus qu'un désir, un désir absurde, un désir sacrilège : franchir le pont de la Gayolle.

Tel fut le premier effet de cette défense. L'enfreindre pour un Claudius, un Sucot, un Rapugue, eût été un jeu. Mais je n'avais point leur génie et ne me sentais pas capable de l'acquérir jamais.

Je me contentai donc de rêver chaque jour au pont de la Gayolle. Ce n'était somme toute qu'un vieux pont de pierre à une arche, qui enjambait tant bien que mal un petit torrent de vingt pieds de large. Dans les environs, pas une maison habitée. Deux grands peupliers, visibles de fort loin, en marquaient l'emplacement derrière une prairie.

Jusque-là rien de bien singulier, et le site n'eût pas valu l'honneur d'une visite. Mais l'intérêt commençait brusquement dès franchi le ruisseau.

A gauche un boqueteau de chênes verts et un chemin. Ce chemin âpre, tordu, noir, grimpait rapidement et tournait parmi les rocs et les racines noueuses. Où menait-il ? Il escaladait un énorme épaulement où noircissaient les arbres, puis disparaissait. De toute évidence, c'était là une des voies d'accès à la montagne.

La montagne !... Ses grandes griffes arrivaient jusqu'au pont et mordaient dessus. En deçà commençait l'étendue tendre des terres meubles, avec leurs maisons groupées autour de quelques arbres, leurs vergers, leurs vignes et ces carrés d'honnêtes cultures au milieu desquels, en hiver, dès cinq heures du soir, çà et là, s'allument de petites lampes. Or jamais je n'avais aimé ces champs de labour. Maintenant je les haïssais, tant l'attrait de ce chemin mystérieux avait pris force sur mon âme. Si je n'osais encore m'y engager, il m'arrivait parfois de courir tout seul, en cachette, jusqu'au torrent ; et là, assis sur le parapet du vieux pont, je passais une heure ou deux à regarder cette route sauvage qui conduisait vers les forêts, les combes et les plateaux que tourmente la tramontane.

On n'y voyait jamais personne. Ce fait éveilla mon attention et donna encore plus de charme à cet au-delà mystérieux et attirant du pont qui marquait la limite de mes libertés.

Cependant un soir, alors que l'hiver s'était déjà adouci et qu'on sentait monter de la terre comme une fermentation végétale, étant assis selon mon habitude sur le parapet de la Gayolle, j'entendis rouler des

cailloux dans le chemin interdit. Et levant la tête, je vis
déboucher, du milieu des chênes, l'âne, le fameux âne
dont je ne savais encore rien. Il ne portait plus ses
braies hivernales, sans doute à cause de la douceur
insolite de l'air. La tête basse comme pour flairer les
cailloux, d'un sabot prudent, il descendit le raidillon.
Saisi de je ne sais quelle crainte, je me retirai dans le
pré. Il passa en faisant claquer ses petits pas d'âne
léger sur les dalles du pont. Les couffins, qui bringue-
balaient sur son dos, étaient pleins jusqu'aux bords de
branches d'argélas en fleur. Cette plante, qui fleurit en
février, est une sorte de genêt épineux. Le chargement
de l'âne m'étonna. De loin je le suivis.

Il se dirigea tout droit vers le presbytère. Sans
doute y était-il attendu, car l'abbé Chichambre en
sortit aussitôt et transporta l'argélas dans l'église.
Après quoi il dit quelques bonnes paroles à l'âne
Culotte et lui donna une tape sur la croupe. L'âne vira
de bord et repartit vers la montagne.

Je m'attachai de nouveau à ses pas, mais, arrivé au
pont, je n'osai passer outre. D'ailleurs la nuit tombait.
On entendait tinter des clarines derrière le torrent,
dans le bois de chênes verts. Quelques brebis apparu-
rent et, derrière elles, la grande silhouette de notre
berger Anselme.

Il m'aperçut et m'appela. J'étais un peu penaud
d'avoir été surpris en un lieu frappé d'interdiction.
Mais Anselme ne me fit pas mauvaise mine. Pour-être
ignorait-il la défense. Il me dit :

— Tu veux rentrer avec moi, petit ?

— Bien volontiers, Anselme.

— Tu as vu passer l'âne ?

— Je l'ai vu. Il venait de la cure.

— Je sais. Tout à l'heure, en descendant, il portait
deux couffins d'argélas.

Nous avançâmes, précédés du troupeau et du chien.

— Demain, me dit Anselme, c'est le premier dimanche de carême, quarante-deux jours avant Pâques.

Je pris mon courage à deux mains.

— Et d'où il vient, Anselme, cet âne avec ses couffins de genêt sauvage ?

Anselme me regarda, étonné.

— D'où il vient ?... Mais de là-haut, parbleu ! De chez M. Cyprien.

J'ouvris de grands yeux.

— Tu ne connais pas M. Cyprien ?

Je fis signe que non.

— Et tu ne sais pas où est le mas de Belles-Tuiles ?

Le troupeau s'était arrêté sur nos talons. De là on découvrait au loin les vieux mamelons des collines. L'ombre ne touchait pas encore les Hautes-Terres.

Anselme me désigna un bois de pins d'où montait une minuscule fumée bleue.

— Belles-Tuiles, c'est là, me dit-il.

— D'ici, est-ce qu'on voit la maison ? demandai-je.

— Non. Il faut aller jusqu'à la pinède. On ne découvre le « ménage » que lorsqu'on est tombé dessus... Un bel endroit, avec de l'eau, et de bons repos pour l'hiver, pleins de soleil, à l'abri du vent...

Le troupeau s'était remis en marche. Nous arrivâmes aux premières étoiles.

Le lendemain, l'abbé Chichambre officia devant un autel tout fleuri de ces plantes d'hiver. L'église embaumait la montagne. Pendant toute la messe je pensai à l'âne Culotte qu'une main mystérieuse avait, la veille, chargé de ces branches au parfum amer. De temps en temps, je regardais le berger Anselme qui, debout à côté du bénitier, faisait à haute voix des répons en latin pastoral aux murmures liturgiques de l'abbé Chichambre. Un gai soleil d'hiver se ruait dans l'église, à travers les vitraux, et l'on sentait que dehors le ciel, encore parfumé par le vent des neiges, inclinait du côté de la bonne saison.

Ce fut une journée de beaux rêves orientés vers les collines.

L'âne ne se montra pas de quinze jours.

Quand je le vis, c'était à la sortie de l'école.

— Hé Culotte ! cria Claudius.

Culotte passa, digne, distant. Le temps était horrible. Les giboulées de mars balayaient le ciel et la pluie cinglait le pauvre âne qui disparut derrière une rafale.

— Je la lui souhaite bonne. Il remonte, cria Rapugue.

— On pourrait peut-être le suivre ? railla Claudius.

Il faisait tellement mauvais qu'on dut rentrer dans l'école. En attendant la fin de l'averse, on se réunit à quatre ou cinq dans la classe, autour du poêle encore bien chaud.

— Moi, dit Sucot, j'y suis monté là-haut une fois, le mois dernier.

— C'est loin ? demanda quelqu'un.

— Oui, c'est loin, mais c'est joli.

J'écoutais, le cœur palpitant.

— Et qu'est-ce que tu y as vu ?

— J'y ai vu un grand chien et des tas de bêtes. C'est plein de pigeons, de volailles, de lapins, des tas !

Il fit un geste large.

— Comme dans l'arche, alors ? ricana Claudius. Il faudra y monter. On va en prendre des oiseaux avec les pièges !...

Sucot, qui passait cependant pour un mauvais garçon, répliqua :

— C'est ça, je te le conseille... Si tu tiens à ta culotte... Moi, j'y ai laissé la mienne...

— Et tu l'as vu, le père Cyprien, toi, là-haut ?

— Non, je ne l'ai pas vu. Personne ne le voit. Depuis qu'il s'est amené dans le pays et qu'il s'est installé là-haut, il n'a pas montré son museau une seule fois.

L'averse ayant cessé, nous nous séparâmes.

Le froid ne dura pas. L'hiver avait atteint ses dernières limites et déjà, derrière toutes les murettes, toutes les haies, les premiers signes du printemps touchaient les plantes précoces.

C'est alors que je sentis vraiment la tentation. A mesure que montait le printemps, une inquiétude se levait en moi. Je ne tenais plus en place. Une sourde envie me prenait de quitter les lieux que j'habitais avec les miens, ce petit village de Peïrouré encadré de platanes et de peupliers d'Italie, qui livraient déjà aux brises tièdes les premières pointes de leur feuillage ; et d'aller ailleurs, plus loin que les haies connues, dans les chemins inexplorés, et singulièrement dans ce sentier de la Gayolle qui, depuis quelques mois, avait orienté mes rêves.

Sur M. Cyprien, j'avais appris, par bribes, soit à l'école, soit même à la maison, pas mal de choses. Je savais qu'on l'avait vu descendre de la diligence, un beau soir, et que, sans même s'arrêter une nuit à l'auberge de Peïrouré, il était allé s'installer à Belles-Tuiles. Cette bastide, le notaire l'avait achetée, en son nom, quelques mois auparavant.

Depuis lors, M. Cyprien vivait là-haut. Au début de son séjour, quelques rares visites, à la nuit tombante, chez les fournisseurs furent ses seules apparitions dans le village, où ensuite l'âne Culotte était venu assez régulièrement aux provisions.

M. Cyprien ne recevait jamais de lettres, il payait bien, on ne le voyait pas. Naturellement cent racontars couraient sur son compte.

Le seul fait qu'il vécût sans compagnie humaine, à cinq ou six kilomètres du pays, offrait déjà une belle source d'inspiration aux commérages. Cependant on s'en tenait là. Les suppositions fleurissaient dans toutes les têtes, et alimentaient les propos, mais personne ne se souciait de faire une heure de marche en montagne pour constater de ses propres yeux la façon dont ce vieil original s'arrangeait là-haut avec la pluie, le vent, les arbres et les bêtes des collines.

L'opinion la plus répandue voulait que M. Cyprien arrivât de très loin, de par-delà les mers, pour tout dire du pays des singes, car on se plaisait à voir en lui soit un ancien navigateur, qui sentait un peu le négrier et le corsaire, soit un planteur revenu, après fortune faite, de ces îles fabuleuses où l'on cultive la vanille, le cacao et la cannelle. On lui attribuait la possession d'un petit trésor, justement parce qu'il vivait de rien. De là ce sentiment de déférence qu'il avait inspiré à quelques-uns. La richesse ne perd jamais ses droits. Mais il était humain que M. Cyprien eût aussi des ennemis, comme tous les solitaires, et particulièrement ceux qui habitent à cent cinquante pieds au-dessus du commun. Par leur façon de vivre, ils montrent clair comme le jour qu'ils n'ont besoin de personne, ce qu'on ne saurait leur pardonner.

L'aubergiste disait :

— Et son pain, le pain qu'il porte à sa bouche, est-ce qu'on sait seulement d'où il vient, dites, en fin de compte ? Que voulez-vous qu'on pense d'un rapiat qui ne s'est même pas arrêté vingt minutes, le temps d'avaler une soupe, chez moi, au *Lion d'Or*, le soir de son arrivée ? Ça se nourrit, pour sûr, d'un oignon et d'un céleri, et ça dort sur des sacs d'écus. Ladres, fesse-mathieu, pas davantage !...

La Péguinotte l'avait en sainte horreur :

— Rester là-haut tout seul, au milieu des ratespe-
nades, bougonnait-elle. Quelle honte ! Le bon Dieu
l'a dit dans sa langue :

> *Celui qui vit loin du pays,*
> *N'entrera pas au Paradis !...*

Et par-dessus le marché, cet âne ! Un âne appri-
voisé ! Un âne qui lui manque que la parole ! Un âne
avec des pantalons ! Ah ! ah ! Je vous le dis, ça sent le
soufre et sabot du Bouc-Fantôme !...

Par ce bouc, la Péguinotte entendait désigner le
Diable, sans le nommer, comme l'exigent la politesse
et la prudence.

Grand-mère riait de ces propos, grand-père ne les
entendait pas. Quant au vieil Anselme, il haussait les
épaules. Je le soupçonnais fort d'être allé, lui, jusqu'à
Belles-Tuiles et d'avoir échangé quelques paroles avec
le dangereux ermite.

Mais je n'osais pas l'interroger, et cependant j'en
mourais d'envie.

A force de me taire, de dissimuler mon désir, il en
était arrivé à un tel excès de puissance que je le
contenais avec peine et que, chaque jour, le pont de la
Gayolle, non seulement m'attirait davantage, mais
devenait une limite plus fragile à mes vagabondages
solitaires. J'y séjournais au moins deux fois par jour.
Le matin, dès que je pouvais m'échapper de la maison,
je courais m'asseoir sur le bord du ruisseau que
commençaient à gonfler les premières eaux venues des
neiges défaillantes. Et le soir, avant le coucher du
soleil, je m'y attardais, car, à cette heure, la montagne,
où naissent des creux d'ombre et où s'allument de
beaux pans de lumière, plus que jamais, devient
mystérieuse. Il en émane un tel pouvoir d'attraction
qu'on ne peut plus se détacher de ses profondeurs
entrevues.

Parfois je dépassais le milieu du pont et me hasardais sur l'autre rive, en terre défendue. Il me semblait que, sur ce bord, les herbes et les arbres, plus vivaces, offraient un aspect insolite et me livraient des senteurs inconnues. J'en rapportais chez mes grands-parents le souvenir d'une zone fraîche et odorante, qui me poursuivait dans la nuit au plus profond de mon sommeil. J'en rêvais. C'était une passion montante. Elle occupait la partie la plus active de mon âme, troublait mes sens, obsédait mes yeux.

Depuis les premiers jours du printemps, la fumée, qui montait quelquefois au loin du toit de Belles-Tuiles, était devenue plus fréquente. Ce filet bleu, délié, pur, s'élevait plus légèrement dans un air qui, touché par les premières brises venues de la mer déjà tiède, gonflait les plantes, troublait les hommes et les bêtes.

Les moutons, dans les crèches, bêlaient vers les hauts pâturages.

La Péguinotte abondait en proverbes. C'était un ruissellement :

> *Au printemps ne cuis pas d'oseille,*
> *Cela t'épaissirait le sang !*
> *Bois du jus de salsepareille*
> *Et des tisanes de chiendent !*

Elle s'agitait, brisait une assiette, invoquait sainte Marthe avec ferveur et tout à coup, sans cause, s'attendrissait, soit devant la cage à lapins, soit à la vue des quatre cerisiers en fleurs qui embaumaient le fond du verger.

Grand-mère chantonnait. Elle savait de si jolies chansons, grand-mère !...

Fleur de genêt cueillie à l'aube
C'est du plaisir pour le Lundi,
Et fleur de lys à pleine robe
C'est plus d'amour qu'on ne t'en dit...

Grand-père souriait. Il ne savait guère que sourire, mais il le faisait si bien que grand-mère le regardait avec ravissement.

— Il voit les anges, murmurait-elle.

Anselme lui-même, d'ordinaire si taciturne, maintenant, quelquefois, tout en prenant le frais, le soir, derrière la bergerie, se tournait du côté d'où montait ce vent tiède et, du fond d'un petit roseau percé de trous, il tirait une mélopée de cinq notes.

A l'école, où M. Chamarote s'obstinait à nous enseigner le carré, le triangle, le verbe « coudre », les sous-préfectures de l'Allier, le décalitre et la pile électrique, régnait une sourde agitation. C'était l'époque où les hannetons naissent familièrement dans les plumiers, où le ver à soie file son cocon dans les ténèbres du pupitre et où, à l'improviste, à travers la torpeur des classes, s'envole un absurde bourdon ou quelque bombyx aux ailes de feu.

Des courants électriques parcouraient les bancs tachés d'encre. On se passait des mots rapidement chuchotés, et quand une abeille, venue du grand mûrier qui ombrageait la cour, entrait étourdiment par la fenêtre, tous les nez se levaient en l'air, et quarante paires d'yeux enivrés suivaient ce terrible point d'or chargé de miel. M. Chamarote avait beau se fâcher, tant que l'abeille vrombissait dans le ciel de sa classe, personne ne s'intéressait à la règle de trois ni au règne de Pépin le Bref. Parfois, poussée par son caprice, l'abeille menaçait M. Chamarote lui-même sur sa chaire. Alors il essayait de la chasser à grands coups de plumeau. La classe frémissait ; quelques rires fusaient çà et là. De la chaire filaient aux quatre points cardinaux des punitions terribles.

— Sucot, tu me copieras trois fois la leçon sur les assolements et tu feras une heure de piquet.

L'abeille s'en allait à travers les splendeurs de la fenêtre et se perdait dans l'air.

M. Chamarote se rasseyait, il y avait un moment de silence.

On entendait le maréchal-ferrant qui tapait sur son enclume et les ramiers du presbytère qui roucoulaient.

On ne voyait plus guère l'âne Culotte. Sans doute passait-il son temps à cabrioler dans les genêts du plateau. Mais pouvais-je l'oublier, moi qui errais en deçà de la Gayolle, cependant qu'il broutait les terres interdites ?

— Finalement, me disais-je, ces terres, pourquoi sont-elles interdites ? A cause de Culotte ? Mais je ne connais rien de plus bonasse que cet âne. Il vous regarde d'un œil si bienveillant ! Et cette façon qu'il a de laisser tomber ses oreilles, une à droite en avant, l'autre à gauche en arrière... C'est sûrement l'âne d'un brave homme...

Du moment qu'on raisonne, on est perdu. Dès qu'on examine une loi, on en viole le mystère. Il faut obéir sans discuter aux ordres des Puissances supérieures, si l'on ne veut se trouver un beau jour, seul, égaré dans ce pays terrible de la liberté, où l'on ne peut plus compter que sur soi-même, c'est-à-dire un peu sur le démon. Car alors on passe le pont, on le franchit fatalement, dès que la crainte religieuse qu'on attache aux Défenses obscures s'est dissipée.

Naturellement on fait le bravache, on chante, en allant de la rive gauche à la rive droite, mais comme c'est au fond pour se donner du courage, cela montre

bien qu'on n'en a point. Dans son cœur on est
bouleversé.

Je l'étais donc, en ce beau dimanche des Rameaux,
juste après la messe de sept heures, la tête encore
pleine d'encens d'église et l'esprit tout ému par
l'allocution familière que l'abbé Chichambre avait
adressée aux enfants.

— Allez, allez, petits, nous avait-il crié, debout
devant le tabernacle, répandez-vous dans la campagne, coupez des branches d'oliviers, jetez-les sur le
parvis de l'église, jonchez la nef ! Je les bénirai avant la
messe de onze heures. Et après, en rentrant chez vous,
vous m'accrocherez ça à la tête de votre lit, du côté où
se tient l'Ange de Dieu, la nuit, pendant votre
sommeil. Car c'est le Jour des Arbres, la Fête des
Palmes. Ici, à Peïrouré, vous le savez, nous n'avons
pas de palmes, mais nous possédons les plus beaux
oliviers du canton et l'olivier, mes enfants, le père de
l'huile, c'est aussi l'arbre de la Mère-de-Dieu. Il a été
créé par la Sainte-Sagesse. Répandez-vous dans la
campagne ! Et quand vous reviendrez avec votre
récolte, nous chanterons le Cantique de l'Ane. Car
n'oubliez pas que Notre-Seigneur est entré à Jérusa-
lem sur le dos d'une ânesse et qu'une grande multitude de peuple étendit alors ses vêtements sur le
chemin, tandis que d'autres coupaient des branches
d'arbre pour les jeter sur son passage. Hosanna, ô Fils
de David ! Béni soit celui qui arrive au nom du
Seigneur ! Toi, Sucot, affreux galopin, apporte-moi le
grand arrosoir d'eau bénite ; il m'en faudra un plein
bénitier. Et toi, Rapugue, dénicheur de sansonnets,
empoigne-moi la corde de la cloche majeure et tire à
toute volée sur la patrie de nos pères ! Ça va faire
plaisir aux premières hirondelles. Quant à vous, les

autres, je ne veux plus vous voir ici. Déguerpissez et rondement ! Que l'église soit débarrassée dans deux minutes ! Le ciel est pur. Ce petit vent du Nord me paraît de bon augure. *Laus tibi, Christe !* La journée sera belle...

Emporté par le vent de ces paroles, je descendis vers le bas du village. Mes compagnons ne tardèrent pas à se disperser à travers champs. On les voyait çà et là escalader les petites terrasses de pierre où s'alignent nos oliviers, grimper dans les branches, secouer les feuillages.

Je restai seul. Mais je marchais ; je marchais à grands pas, à pleins poumons, respirant cet air unique dans l'année, vierge, si frais, du matin des Rameaux, qui sent, autour de nos villages, l'eau nouvelle, la moelle d'arbre et l'odeur de l'argile.

Je descendais vers la Gayolle, le savais et n'en étais que plus heureux. J'y arrivai bien vite ; et quand je vis se lever devant moi, sur son épaulement rocheux, le bois de chênes, qui cachait le Pays défendu, tout mon sang jaillit vers ma gorge.

Je m'arrêtai.

L'air était calme. Des fils de chaleur y passaient, très haut dans le bleu matinal, cependant que, des bords du ruisseau gonflé par l'eau des neiges, montait le parfum de la chicorée sauvage et de la salicaire.

Irais-je plus loin ?... Toute la plaine fraîchement labourée, avec ses bonnes maisons de guingois, et l'odeur domestique des celliers et des granges, me retenait devant le pont. Son étendue, humaine et prudente, s'arrêtait en deçà de la petite rivière et tout ce qui s'en élevait donnait des conseils de sagesse : les arbres bien plantés, les carrés de légumes, le groupement amical des toits et même le clocher trapu dans lequel, il est vrai, tintait un peu follement la cloche majeure.

Laus tibi, Domine !

Mais la brise arrivait de l'Au-delà. Sa nappe qui descendait des plateaux, où poussent l'arnica sauvage, l'argélas et l'hysope des garrigues, avait ramassé au passage tous les parfums cachés dans les petits vallons, blottis dans les creux tièdes assoupis dans les moindres fissures du calcaire, épine blanche, digitale, centaurée, ronce bleue, troène, genêt d'Espagne, encens-de-mer, herbe de sainte Véronique.

La montagne embaumait. Je ne résistai plus. Je passai le pont...

Et tout à coup je tremblai, car alors je sentis sous mes pieds le premier mouvement de la terre. Elle montait. Un brusque élan du sol me porta jusque dans le bois de chênes. Cette terre sauvage me soulevait ; d'autres pentes, d'autres tracés s'emparaient de mes pas. Le bois sombre exhalait l'odeur humide et iodée des vieilles feuilles mortes. Je m'étais détaché de ces plans doucement inclinés des prairies campagnardes qui prédisposent à la sérénité, aux haltes. Maintenant tout ici devenait brusque, abrupt ; mais de ces mouvements du sol, de ces rocs éboulés, de ces chênes noueux aux racines torses, passait en moi comme une noire force souterraine. L'âpre accent qui s'en exhalait faisait battre mon sang à coups plus larges, au milieu de l'ombre, des écorces fraîches et des feuilles amères ; et j'étais enlevé, malgré la roideur des lacets et la sévérité des escalades, virilement, vers cette immense zone aromatique des collines, pays des fleurs sauvages, des arbres et des bêtes fuyantes qui déjà, à travers les branches des chênes, tremblait, en pleine lumière, devant moi.

L'attrait qu'elle exerçait dans mon âme m'attira sous le bois de chênes. Je débouchai sur le bord d'une clairière éblouissante creusée dans un affaissement du sol et tout entière entourée d'arbres. Çà et là des bosquets de houx épineux en coupaient l'étendue. Pas un vol, pas un bruit. On était de l'autre côté, dans l'au-delà, loin des hommes aux terres fertiles, loin du village, à cent lieues des petits foyers domestiques qui embaument le pain chaud, la braise et le savon frais. J'avais peur et j'étais pénétré de joie. Je n'osais avancer, troubler la paix de ce coin de terre attiédi dans un coin de montagne.

J'entendis un bruit de pas, un froissement de branches, et j'aperçus l'âne Culotte.

C'était bien lui. Il semblait sortir d'un buisson de houx. Sans doute était-il là avant mon arrivée.

D'abord il ne me vit pas. Il continua à brouter. Tout le sol était tapissé de fleurs et d'herbes.

L'âne singulier s'avançait sur un tapis de primevères, de gueules-de-lion, de caille-lait, de cardères sauvages, de chardons étoilés et d'esparcettes.

Il était beau, le poil luisant, étrillé de frais, couvert de rosée odorante et il semblait irréel. Ce n'était plus un âne de la terre, un baudet de village ; mais l'âne-type, l'âne pur, l'idée même de l'âne. Jamais je n'avais remarqué la noblesse de son maintien ; son pas tranquille ; le calme mouvement du col, et l'indulgence que dénotait le port nonchalant de ses oreilles. Ainsi rendu à la liberté naturelle, sans bât, sans pantalons, perdu jusqu'au poitrail dans les grandes jonquilles de montagne, il me parut sortir de quelque fabuleuse contrée. C'était l'âne enchanté, l'âne magique. Il n'avait plus d'âge. Il arrivait du fond de l'histoire des ânes, chargé de toutes les légendes d'ânes qui peuvent courir le monde ; mais les dépassant toutes. C'était l'âne du Jour des Palmes, l'âne de la Fête des Rameaux.

Il leva la tête et me vit. Jamais je n'oublierai ce

regard, le plus grave, le plus raisonnable regard de
bête qui se soit levé jusqu'à moi. Plus de résignation,
ni de sombre patience, plus de mélancolie venue des
profondeurs d'un esclavage millénaire, mais une sorte
de dignité animale, de conscience modeste, de bonté
sans rancune. Non plus un regard de bête soumise,
mais un regard de bête libre, de bête associée. Et, à
travers cette grande prunelle glauque, glissaient aussi
d'autres puissances. A peine y voyait-on flotter,
comme un souvenir, ces molles nappes de prairies,
l'esprit de la luzerne, du trèfle et du sainfoin qui
enchantent les songes des ânes du commun endormis
dans leurs pauvres écuries. Il y passait de plus vives
couleurs : les reflets de la sauge à peine éclose, le
violet tendre du thym de printemps, le rouge sanglant
des racines mordues, et enfin cet or du genêt d'Espagne aux tiges sucrées que chargent impétueusement
les jeunes abeilles.

L'âne était près de moi. Il me regardait.

L'âne Culotte...

Près de moi, à me toucher.

Sur ma main son haleine humide, ses grands
naseaux tendres, sa bonne chaleur animale.

Un geai s'envola d'une branche de mûrier, à ma
droite. L'âne me regardait toujours. Il me disait :

— Grimpe sur mon dos. Je te porterai jusqu'à
Belles-Tuiles. N'aie pas peur, tu peux monter à cru,
sans selle. Je n'ai point le dessein de te jeter dans les
ronces. Je veux te montrer la montagne... Je sais que
tu aimes la montagne, comme moi et comme mon
maître, M. Cyprien, que tu ne connais pas. Souvent je
t'ai vu, arrêté de l'autre côté de la Gayolle, près du
pont, et rien qu'à la façon dont tu contemplais,
pendant des heures, ce bois de chênes, je devinais
qu'un jour tu te risquerais sur cette rive. Tu y es venu.
Maintenant, tu le vois, c'est la plus belle de toutes,

celle des arbres sauvages, des plantes odorantes, des bêtes amies. Viens ! Nous allons partir pour les Hautes-Terres.

A mesure que nous nous élèverons, l'air deviendra plus délicieux, plus vif ; tu rencontreras les plus beaux insectes du monde, les phalènes, les sphinx, les scarabées. Peut-être, ô chance ! verras-tu le campagnol ou le lérot couper ton chemin, et planer très haut sur ta tête la crécerelle ou l'épervier, qui tiennent le ciel... Je t'attendais. Constantin, mettons-nous en route !...

Alors nous partîmes. Je ne sais comment je me trouvai sur le dos de l'âne Culotte. J'y étais cependant, et il marchait.

Il marchait d'un pas relevé, la tête haute. Il avait pris un sentier qui nous conduisit à l'orée d'une pinède. Nous entrâmes sous les pins. Ce sentier devenait abrupt ; l'âne escaladait des raidillons, descendait dans des creux, sans hâte, d'un sabot délicat et sûr, et son échine avait tant de souplesse que je n'éprouvais aucune crainte. Ferme, ravi, je regardais autour de moi. Car je faisais corps avec l'âne ; sa chaleur se glissait tout le long de mes cuisses et passait dans mes reins ; le jeu du moindre de ses muscles était sensible aux miens. Il ne marchait plus ; je marchais moi-même, et nous formions comme un grand être tiède touché par le printemps, un quadrupède humain, heureux de voyager sous les pins et les rouvres, dans l'éclosion du pollen roux et le parfum de la résine.

Nous ne tardâmes pas à franchir un petit col, entre deux blocs de pierre bleuâtre ; puis, à travers quelques vallons, nous descendîmes vers le lit d'un torrent à sec. Dans cette dépression je ne voyais plus que le ciel et un éternel épervier.

Parfois nous faisions s'envoler lourdement une grive gavée de genièvre.

En nous voyant, un merle sifflait avec un effroi simulé et moi, je suivais des yeux le vol fragile d'un papillon nymphale.

Maintenant nous montions. Combien de temps dura cette ascension enchantée ? Je ne saurais le dire. En moi, la durée, la distance s'étaient anéanties. Mes plaisirs occupaient toute mon étendue intérieure. Je n'étais plus moi-même ; je n'étais plus Constantin Gloriot, comme je l'avais cru jusqu'alors sur la foi de mon entourage ; j'étais la montagne et le ciel...

L'âne s'arrêta. Il s'arrêta très doucement. Il immobilisa sous lui ses quatre pattes ; un frisson parcourut son échine ; ses deux oreilles se relevèrent vivement.

Et il attendit.

Où étais-je ? Cet arrêt m'avait réveillé. Devant moi s'étendait une aire blanche taillée dans le calcaire.

Par-delà une haie d'aubépines, on voyait une petite bastide. Le toit d'argile sortait à peine de la terre. Deux fenêtres, une porte peinte, et, au-dessus des tuiles, cette colonne de fumée bleuâtre qui se perdait un peu plus haut que les arbres, dans les premiers calmes du ciel... Deux pins énormes ombrageaient la façade, où veillait un cadran solaire. A droite, un puits sous une tonnelle de vignes, et, par-derrière, plantés dans le roc, cinq cyprès.

Devant la maison, il y avait un homme. Il me tournait le dos. A genoux, armé d'une pioche, il travaillait. Il creusait dans l'humus de petits trous, ensuite il y déposait des plants de chèvrefeuille qu'il recouvrait soigneusement de terre. Je ne voyais pas sa figure. Il ne nous avait pas entendus arriver. Il piochait, puis, de ses deux mains, à poignées, il retirait la terre du trou, une terre d'un rouge sanglant qui sentait la racine coupée et le silex.

L'âne bougea, il fit quelques pas en avant, franchit la porte de clôture et s'arrêta sans bruit à quatre ou cinq mètres derrière l'homme. Celui-ci ne nous avait pas entendus; il continuait à piocher. L'âne s'était déplacé silencieusement; aucun claquement de sabots. Cela tenait du prodige. Dans cette lumière éblouissante j'avais eu l'impression d'être transporté en glissant, non point par un âne de chair, mais par le fantôme surnaturel, l'ombre d'un âne. Et cependant, entre mes cuisses, je sentais toujours sa tiédeur animale.

Pas un souffle. L'homme piochait. Tout à coup il arrêta son travail. On eût dit qu'il avait deviné la présence de l'âne. Celui-ci cependant ne bougeait pas. Il regardait le dos de l'homme.

C'était un vieux dos, un peu courbé, aux épaules osseuses, noueux, recouvert d'une chemise de laine brune, et cependant un dos vivant, chargé d'expérience, un dos sensible, un dos qui tout à coup avait compris que l'âne et moi nous nous tenions, attentifs à ne point troubler le silence, derrière lui.

L'homme se retourna. Je vis sa figure.

Une vieille, une très vieille figure, rouge-brique, une figure au fond de laquelle s'ouvraient deux yeux pâles, immobiles, un peu effrayants.

Ces yeux me regardaient. L'homme ne disait mot, mais son regard ne bougeait pas. Il s'était arrêté sur ma figure, du premier coup, et il y restait. .

Il n'examinait pas mes traits; il ne s'attardait pas à mesurer ma gêne, il n'exprimait aucune hostilité, il n'était réchauffé par nulle sympathie, mais il regardait. Cela semblait comme une vocation surnaturelle. Il regardait. Il regardait au-delà de mes formes, de ce que j'offrais d'apparent, au-delà de mes craintes, des

mots que j'allais lui dire ; il regardait peut-être
comment vivait au fond de moi, en ce dimanche des
Rameaux, cette énorme montagne qui venait d'entrer
fraîchement dans ma chair, et qui avec une sourde
lenteur y remuait.

Enfin il parla :

— Il y a loin d'ici à Peïrouré, n'est-ce pas, petit ?
Tu dois être fatigué. Je vais t'aider à descendre de
l'âne.

Il s'approcha de moi ; je sautai à terre.

Il hésita un peu, puis ajouta :

— Tu boiras bien un verre d'eau avec un doigt de
vin blanc ; j'ai des figues sèches.

Il me montra une table de pierre devant la maison.
Nous nous assîmes. Je croyais rêver.

— Comment t'appelles-tu ?

La voix semblait conserver quelque méfiance.

— Constantin Gloriot, lui dis-je…

Alors il sourit. Sa vieille figure s'éclaira, perdit sa
rudesse. La bouche s'élargit, livra toute sa bonté ; des
rides se plissèrent aux coins des yeux, le regard se
fonça d'un bleu d'outre-mer ; et je vis deux grandes
mains sèches, toutes couturées de cicatrices, qui me
tendaient un panier de figues.

Il me dit :

— L'abbé Chichambre m'a parlé de toi. Je suis
content que tu sois venu.

Je le regardai à la dérobée.

Il paraissait heureux. Ses doigts noueux étaient
encore rouges de terre et lui-même, avec sa culotte de
bure, sa chemise brune, sa peau recuite, il semblait à
peine détaché d'un lit d'argile ferrugineuse.

Je mangeai quelques figues et bus un verre d'eau
coupé de vin clairet. Dans ce vin on avait mis à
macérer des graines fraîches de fenouil. Aigrelet, il
sentait le caillou, le bois sec et la plante aromatique.

— Je te ferais bien entrer un moment à la maison,
me dit le vieux, mais je ne sais pas si c'est possible. Je
vais voir.

Il se leva, passa la tête à travers l'ouverture de la
porte, puis se tournant vers moi :

— Allons faire un tour dans le verger…

L'âne Culotte avait disparu.

Le verger se trouvait derrière la maison, dans un
creux. Tout autour commençait aussitôt la montagne.
Il s'était blotti contre les parois d'un petit cirque de
rochers hauts de sept à huit mètres, bien au chaud, à
l'abri de la bise ; et quand nous y entrâmes tous les
amandiers étaient en fleurs. Quelques légumes y
poussaient sous les arbres. Au-dessus du cerfeuil et de
la salade s'étendait le feuillage tendre du brugnon et
du cerisier. Le long des parois de calcaire et de safre
on avait accroché une vigne, et dans le fond, à l'entrée
d'une grotte, on voyait un banc et une table de bois
sous une tonnelle.

Le jardin était plein d'oiseaux. Quelques-uns s'en-
volèrent à notre approche, mais la plupart restèrent,
qui à picorer les allées, qui à sautiller dans les
branches des pruniers et des abricotiers-muscats.

— Asseyons-nous devant la grotte. Ne bouge pas.
Regarde. Tu vas voir arriver les bêtes. Il suffit d'avoir
un peu de patience.

J'entendais quelque part, invisibles, caqueter des
poules. Sans doute y avait-il une basse-cour dans un
abri que je ne connaissais pas.

Nous attendions. Le temps passait. Tout à coup le
vieux me saisit le bras. Je levai la tête.

Un lézard !… Énorme, tacheté de bleu et de jaune,
long d'un mètre peut-être… Je n'en avais jamais vu de
pareil. J'eus un mouvement de recul. Le vieux posa sa
main tranquille sur mon poignet.

Le lézard était sorti d'un trou à côté de la grotte.

Arrêté, surpris peut-être par ma présence, il nous regardait. Il avait les yeux vifs, hardis.

— C'est une « rassade », murmura M. Cyprien.

Rassurée par notre immobilité, la bête s'avança le long d'une corniche, vers nous. Arrivée à l'extrémité de ce balcon, elle s'arrêta de nouveau et exposa son cou vivant. On le voyait battre contre la pierre.

— C'est une bonne bête, déclara M. Cyprien.

Maintenant le lézard buvait le soleil. Le dos écailleux ne bougeait pas, mais les flancs, toujours si sensibles, palpitaient, comme si le sang glacé de ce corps eût violemment afflué vers ses points les plus tendres pour y pomper toute la chaleur du jardin.

La gorge extasiée, grande ouverte, s'offrait passionnément à la lumière ; les yeux d'or fixaient le soleil et la vie parcourait en ondes rapides le corps du monstre minéral.

— Les autres sont plus timides, me confia M. Cyprien ; mais ils ne vont pas tarder à arriver tout de même. Tiens, voilà un limbert et une reguindoule. Il n'y a pas plus serviable ni plus aimant...

Oui, c'était bien le paradis.

Le limbert et la reguindoule se risquèrent hors de leur trou et, saisis par la présence du soleil, entrèrent aussi en extase. Car le soleil paraissait le roi de cet empire. Par nappes tièdes les hauts calmes du ciel descendaient lentement sur le verger et de beaux nuages fragiles suivaient ces bancs de chaleur qui, à cette époque de l'année, apparaissent tout à coup vers le sud et se tiennent très haut dans l'air.

— Ils viennent du pays des palmes, dit le vieux en me les montrant.

— Et vous le connaissez, vous, le pays des palmes, monsieur Cyprien ? lui demandai-je.

— Oui, je le connais. Je connais aussi l'odeur des orangeries dans les îles.

Il se tut. Je le regardai. Ah ! c'était bien un très vieil homme qui avait parcouru les terres et les mers.

— Alors, vous avez navigué là-bas, monsieur Cyprien ?

Il n'était plus dans son verger de montagne. Maintenant sa voix arrivait de très loin :

— Parfaitement, petit, j'ai navigué. J'ai navigué sur des balancelles.

Il parlait lentement, en s'arrêtant entre chaque phrase, pour bien examiner d'abord ce qu'il allait dire, et prendre les mots les plus simples, les meilleurs.

D'où venait-il, ce vieux ?

— Des balancelles, me confia-t-il, il y en a partout dans le sud. Mais les plus belles transportent les agrumes.

— Qu'est-ce que c'est que les agrumes, monsieur Cyprien ?

— Les agrumes petit, c'est les oranges, les citrons, tout ça ! Quand on marche et que le vent passe sous la voile, après avoir balayé de bout en bout la grande barque, ça embaume. On dirait un jardin sur la mer...

Maintenant tout autour du verger, dans la forêt attiédie, le pin, l'yeuse, le genévrier et le rouvre s'emplissaient d'une puissante vie animale. On entendait le geai batailleur se quereller avec violence, le babil de la pie sur le faîte d'un arbre, le pic qui travaillait avec entêtement et cognait du bec contre les vieilles écorces, parfois en éclatant de rire, le torcol tire-langue, la sittelle, le grimpereau à voix flûtée, l'échelette pendue aux parois de quelque ravin, la huppe arrivée des pays chauds, le coucou, la pie-grièche, la mésange, le roitelet, le hoche-queue, le merle, tous les ramages et tels que je n'en avais point jusqu'alors admiré de pareils, près des maisons, aux Basses-Terres, comme si, sur les lisières de ce verger perdu, dans le quartier sauvage des collines, des vols entiers d'oiseaux, arrivés par milliers de cent lieues à la ronde, étaient venus chanter en l'honneur de ce vieil homme de la mer...

Maintenant, lui, il me parlait. Il était rentré doucement dans sa montagne.

Il me disait :

— Les bêtes, petit, tu ne les vois pas toutes pendant le jour. Il y en a beaucoup qui attendent la nuit. Alors elles sortent de leurs demeures. Tant qu'il reste un reflet de soleil, une lueur, elles dorment, bien cachées là-haut, au-dessous des crêtes. C'est plein de terriers par là et de grands nids sauvages.

— Vous y êtes allé ?

— J'y suis allé.

— La nuit ?

Il ne répondit pas. Subitement ses yeux étaient devenus clairs, presque blancs, et son regard avait retrouvé cette fixité qui d'abord m'avait effrayé un peu.

— De l'endroit où tu es assis, murmura-t-il, quand il fait bien sombre, on entend vivre la forêt.

— Elle vit, monsieur Cyprien ?

— Elle vit. Et d'abord les arbres. Les arbres cela dit toujours quelque chose. De temps en temps, tu en entends un qui gémit, un grand, d'habitude. Le gémissement part de la pointe là où passe le fil du vent... Une écorce craque, une pigne tombe.

Le vieux ne regardait plus rien. A qui parlait-il ? Il continua :

— Mais, la nuit, c'est surtout les racines qui travaillent. Si tu collais l'oreille contre la terre, tu les entendrais remuer un peu partout. Elles se glissent à travers les fentes, soulèvent les pierres, creusent l'argile, mordent, enlacent, étouffent les bancs de calcaire ou de safre, s'enfoncent, tournent, rongent, se gonflent, se perdent dans les profondeurs, cherchent la vie... Et cela se passe partout, dans le jardin, sous la maison... Il y a de quoi faire peur... peut-être ; il vaut mieux ne pas y penser...

Il se tut pour éloigner cet effroi souterrain, puis il reprit :

— Jusqu'à dix heures, tu n'apercevras guère que des cerfs-volants ou des capricornes. De grosses bêtes noires avec des mandibules... Je ne les aime pas... Juste à dix heures, du côté de Boutelangue, une petite chouette commence à parler... Une drôle de petite chouette qui a l'air d'avoir du chagrin... Sa plainte, on dirait un signal. Aussitôt la chevêche du bois de Rouvres à une demi-lieue de là, et la hulotte qui habite, non loin d'ici, dans la pinède, jettent de plaintifs miaulements. Plus un oiseau ne bouge. Le chat-huant et le hibou, qui attendent là-haut dans les rochers, répondent tout à coup à ces appels. Leurs cris réguliers se rapprochent. D'arbre en arbre, sans bruit ils descendent jusque dans le verger, puis, après une petite halte, ils vont se poser plus bas et leurs hululements s'éloignent vers les Basses-Terres... Alors c'est la terre qui s'anime, le sol, les buissons, tout autour de toi. D'abord un faible craquement de branches cassées, puis deux ou trois feuilles qui s'agitent. Il y a quelque part une bête qui passe. Tu ne la vois pas. C'est peut-être un rat noir ou une taupe qui vient, du fond de ses retraites, respirer un moment l'air de la nuit et qui a soulevé l'argile fraîche, de son museau... Ne bouge pas, écoute... Un buisson secoué... Le blaireau est là. Je le connais. Il gîte à cent mètres plus haut près d'un oléastre. Une bête trapue, féroce. Je l'entends quelquefois rôder autour des hangars... Un peu plus tard la fouine se glisse sous les feuilles. Elle est prudente, et il faut de bonnes oreilles pour relever son passage... Vers minuit, monte un bruit de pas, un piétinement sourd. C'est une grosse bête. Elle marche, s'arrête, grogne, gratte, renifle, souffle et donne des coups de boutoirs dans le sol. Quelquefois un petit troupeau l'accompagne et alors les buissons gémissent, les branches craquent, les bêtes fuient. Regarde... Les sangliers sont là, dix, douze, peut-être. Un vieux mâle les guide. Ils labourent le sol, coupent les racines, du groin font voler les cailloux près des chênes truffiers, défoncent, cassent, creusent, dévastent. Ils se retirent tard, du côté des hautes combes. Par là il existe un ravin où personne n'a jamais fourré le nez. Après leur départ les collines retrouvent le silence. Mais reste là encore. Patiente, attends le coucher de la lune, car la bête la plus mystérieuse de la montagne n'a pas encore donné signe de vie. Bientôt tout dort, même le vent. Il n'y a plus qu'une mince lueur, au ras des crêtes. Elle s'évanouit. Alors le renard glapit dans le lointain. Mais où ? Est-ce vers Peïrouré ou bien dans le ravin des Baumelles ? La voix vient de partout, une voix triste, désabusée ; on ne l'entend pas sans frémir. La bête voyage. Je l'ai vue une fois, sur un rocher, et, par hasard, en pleine lune, son museau pointu levé vers les astres. Mais c'était loin d'ici. Je ne pense pas qu'elle se risque jamais dans nos parages...

Il s'arrêta de parler.

— Vous avez un fusil, monsieur Cyprien ?

— Oui, comme tout le monde. Mais ça n'est pas à cause du fusil.

Étonné, je lui demandai :

— C'est à cause de quoi, alors ?

La réponse ne vint pas. Il se taisait.

Je regardai sa figure. Elle me fit peur. Un étrange durcissement en avait creusé les traits. Des muscles secs coupaient les joues ; le nez s'était pincé, la bouche était devenue mince. Je reconnaissais à peine le

vieillard accueillant qui m'avait fait asseoir dans le
verger. Un esprit inhumain animait son regard.

Il murmura :

— Même le renard en a peur...

Il paraissait inquiet et se leva.

Alors le front se détendit, le sang afflua sous la
peau, l'œil bleuit, et cet air de sagesse et de bonté qui
m'avait donné confiance, reprit peu à peu les points
les plus émouvants de cette vieille figure.

A la porte du verger, sous un amandier en fleurs,
l'âne Culotte semblait nous attendre.

M. Cyprien se leva, et me dit :

— Tu emporteras ce panier de figues et tu donneras cette branche d'amandier à l'abbé Chichambre.
Prends bien garde en descendant de ne pas semer au
vent les corolles. Ça part comme la neige...

Nous nous dirigeâmes vers la maison.

M. Cyprien me précédait de quelques pas. Je le vis
pénétrer dans la bastide où je n'osai le suivre.
Cependant du dehors, j'apercevais, à travers la
pénombre, une pièce blanchie à la chaux. Sur le sol
des carreaux jaunes et une natte. Au fond contre le
mur, une espèce de lit bas surmonté d'une niche.
Cette niche était voilée d'un rideau de couleur rayé de
rouge. Par-dessus on avait accroché horizontalement
un fusil. A droite, une étagère portait un pot à tabac et
un râtelier de pipes. A gauche, une petite lampe posée
sur une commode et quelques livres. Le tout bien
rangé, propre.

La maison comportait un réduit, par-derrière, et
sans doute aussi une cuisine. Au pied du lit, sous
l'étagère, on voyait une porte basse, cadenassée, qui
devait conduire à quelque cellier taillé dans le roc.

Je n'apercevais pas M. Cyprien. Où pouvait-il être
passé ? Cette maison m'attirait, m'inquiétait aussi ;
sous son air bonhomme, avec son propriétaire bien-

veillant et mystérieux, blottie à une lieue de toute
habitation, presque invisible de la plaine, elle me
paraissait cacher quelque chose de plus qu'une simple
demeure humaine. Elle devait traduire d'autres
besoins que ceux d'un abri contre la pluie et le vent ;
répondre à un dessein secret ; contenir, peut-être, des
objets tels qu'on n'en voit point sous les toits de nos
villages. Il s'en échappait comme une odeur d'épices,
gingembre ou cannelle, que je respirais avec ivresse.

Cependant ce qui sollicitait surtout mon attention,
c'était la niche. Que pouvait-elle dissimuler derrière
son rideau ? L'étoffe roide ne bougeait pas. Quoi de
plus naturel ? Les plis en tombaient droit, le tissu en
était rêche. Et pourtant cette immobilité paraissait
anormale...

A ce moment M. Cyprien reparut. Il tenait un petit
coffret d'où il retira un paquet ficelé, qu'il me tendit
en me disant :

— Ça, tu le donneras, sans faute avant la messe, à
l'abbé Chichambre. Tu iras dans la sacristie. Il ne faut
pas qu'on te voie. C'est de l'encens, mais pas de
l'encens vulgaire, de l'encens de boutique. C'est de
l'encens indien, de l'encens mâle, de l'oliban, cueilli
au pays des Rois, chez le dernier héritier de Salomon.
Là-dedans tu ne trouverais pas une miette de sandaraque ou de résine de pin.

Je l'écoutais sans trop comprendre. Il avait pris une
figure sérieuse. Il parlait tout en me regardant, penché
sur moi, son coffret à la main, près de ma figure, et je
voyais les grandes cicatrices que le sel de la mer et le
travail de la terre avaient laissées sur ses doigts usés.

— Tu as juste le temps de rentrer avant l'office, me
dit-il.

Il m'aida à grimper sur l'âne.

Je passai la porte de l'enclos. Arrivé au milieu de
l'aire, je me retournai. Je vis le vieux qui me faisait un

petit salut amical. Mais tout à coup ce que je
découvris derrière lui m'emplit de stupeur. Dans
l'intérieur de la maison le rideau de la niche avait
glissé. On apercevait un large trou noir. Au fond de ce
trou étincelaient deux yeux. Cela ne dura qu'un éclair.
Tout s'éteignit. Le vieux avait disparu.

L'âne descendit dans le sentier et aussitôt je perdis
de vue la maison. Nous marchions sur le chemin du
retour. Il me parut plus court que la montée. Arrivés
au-dessus de la Gayolle, dans le bois de chênes, l'âne
s'arrêta et ne bougea plus. Je compris qu'il n'était pas
dans son intention d'aller plus loin. Je sautai à terre.
Culotte vira du côté de la montagne et repartit
paisiblement vers Belles-Tuiles.

Je restai seul.

J'étais embarrassé. Cette grande branche d'amandier, comment la dissimuler en traversant le village ?
Là tout le monde me verrait et on ne se priverait pas
de courir aussitôt chez grand-mère Saturnine pour lui
raconter que j'avais galopiné dans les vergers de nos
voisins et abîmé le plus beau de leurs arbres. Crime
impardonnable ! Car personne, chez nous, ne touche
à l'amandier au moment de la floraison. L'arbre
semble sacré ; et, même pour fleurir l'autel de la
Vierge (qui pourtant en aurait bien besoin avant les
dernières épreuves de la Semaine Sainte, et Ténèbres,
et les temps de la mort qui précèdent Pâques), il ne se
trouvera jamais une femme de nos villages qui
consente à offrir à son église un de ces beaux rameaux
fragiles et odorants qu'aimerait, j'en suis sûr, la mère
de Dieu.

Cependant le soleil montait et l'heure me pressait
de partir. Comme il n'y avait personne sur la route de
Peïrouré, je sortis du bois.

Jusqu'aux premières maisons du village, j'eus la chance de trouver la campagne déserte.

A mon grand étonnement le village lui-même me parut inhabité. Je pris une venelle, que je savais rarement fréquentée, pour pénétrer, sans être vu, dans l'église, par la porte de la sacristie. Tout alla bien jusqu'à la porte. La venelle finissait là en cul-de-sac contre la maison de Bourguelle, le bourrelier. J'étais sauvé. Au moment de pousser la porte j'entendis quelqu'un qui riait. Je levai les yeux. Dans une lucarne, sous le toit de Bourguelle, une tête se retira vivement que je ne reconnus pas. On m'avait vu. J'entrai précipitamment dans la sacristie.

Il était un peu plus de dix heures. L'abbé Chichambre n'était pas encore arrivé. Je déposai la branche d'amandier dans la vasque de la fontaine et le paquet d'encens sur le prie-Dieu. Je m'aperçus alors que le papier était crevé. Il s'en échappa quatre ou cinq petites boules sèches que je mis dans ma poche.

Quelqu'un parlait dans l'église et je reconnus la voix de l'abbé Chichambre.

Je sortis sans tarder de la sacristie et regardai vers la lucarne de Bourguelle ; mais elle était vide.

Bourguelle avait une fille, plus âgée que moi de deux ans, qu'on appelait Anne-Madeleine et à qui je n'avais jamais parlé.

A la maison, où je rentrai en hâte, pour revêtir mon vêtement des fêtes, personne encore ne semblait avoir eu vent de mon escapade.

A onze heures moins un quart, on partit pour l'église. Grand-père Saturnin et grand-mère Saturnine marchaient gravement côte à côte. Ils étaient beaux. Moi, je les précédais, et non moins gravement, je portais leur missel à tranches dorées. Derrière venait la Péguinotte, plus écarlate que jamais, avec une chaîne d'argent autour du cou ; puis le berger

Anselme sous son grand chapeau, puis le chien, et
enfin Hyacinthe, une petite orpheline qu'on avait
recueillie, il y avait deux ans, à la maison.

Elle gardait dindes et poules et aidait quelque peu la
Péguinotte dans ses travaux domestiques. Un bout de
tresse, roide comme un bâton, se dressait naïvement
derrière sa tête. Il m'horripilait. Je n'aimais pas
Hyacinthe. D'un naturel paisible, je ne la tourmentais
point à propos de sa couette, comme l'eussent fait,
peut-être, d'autres garçons de mon âge ; mais je lui
témoignais de la froideur. Mon antipathie était si
visible que la petite n'osait jamais m'adresser la
parole.

Ce matin-là, pour comble, on l'avait affublée d'une
robe à carreaux violets, empesée de frais, raide,
craquante. Chaussée de souliers vernis, un chapelet de
nacre entortillé autour de son poignet, un sacré-cœur
cousu sur sa poitrine, fière et pourtant un peu
inquiète, elle s'avançait d'un pas mécanique, sans
regarder ni à droite ni à gauche. On eût dit un jouet en
bois.

En ce temps-là, pour la Grande-Semaine, les églises
accueillaient encore beaucoup de fidèles.

Colossal, sous sa chape d'or et de soie, l'abbé
Chichambre officiait avec cette brusquerie familière,
ces gestes impétueux, ces agenouillements formida-
bles qui, derrière lui, courbaient les têtes, domptaient
les volontés, exigeaient les répons, ramassaient les
prières, les serraient, les liaient en lourdes gerbes, et
rudement les déposaient, entre les deux cierges trem-
blants, devant la Croix.

Dès qu'il entrait, une houle agitait ces têtes pay-
sannes, pourtant dures et calmes ; et, quand il gravis-
sait l'autel, ses grands pas soulevaient sa soutane ; et
l'on voyait des souliers plats, larges, cloutés qu'on
n'oubliait plus. C'étaient des souliers faits pour la

terre. La messe, plus ou moins, célébrait les travaux
de la saison, et elle offrait cette saveur particulière aux
liturgies de l'église latine des campagnes.

Précédé de Sucot, enfant de chœur indigne, l'abbé
Chichambre entra...

Tout à coup, à travers la nef, s'éleva un murmure
étouffé ; car, derrière le prêtre déjà agenouillé au pied
du tabernacle, Claudius Saurivère, enfant de chœur
non moins indigne, venait d'apparaître portant mon
rameau d'amandier à bout de bras.

— *Introibo*, grogna le prêtre.

Le murmure s'évanouit. L'abbé Chichambre se
releva, prit la branche fleurie, la posa sous le Crucifix
étincelant et dit d'une voix forte :

— *Ad Deum qui lœtificat...*

Sucot balança l'encensoir. Il en sortit un torrent de
fumée épaisse. Elle enveloppa d'abord le prêtre, puis
l'autel, puis la croix, monta vers l'ogive, s'étala dans
l'église ; et elle exhalait un parfum mystérieux, sucré
aux aromates, et si singulier en ce sanctuaire rustique,
que tout le monde, à travers l'église, se regarda avec
effroi et émerveillement.

C'était l'encens mâle du pays des Rois, sans une
miette de sandaraque ou de résine de pin, l'oliban
sacré cueilli, là-bas, dans les jardins du dernier héritier
de Salomon.

La messe en fut transfigurée.

Le village aussi, et tout de suite après la messe. Car
si les bouches avaient dû se contraindre pendant
l'office, dès que l'on fut hors de l'église, questions,
réponses, suppositions, insinuations, commentaires
partirent bon train. Les voilà serpentant à travers
ruelles et rues. Les uns pénètrent chez l'épicière,
d'autres s'arrêtent chez le boulanger. La mercière

paraît émue ; l'aubergiste s'étonne, la notairesse fait des mines ; la femme du laitier raconte ; la buraliste gesticule sous son drapeau de fer-blanc ; le maire s'informe, car il n'a pas assisté à la messe, comme de juste ; le jeune receveur des postes, M. Gabriel Pichobre, ouvre sa fenêtre et apparaît en bras de chemise au premier étage. Étonné, il regarde sur la place. Seule l'école reste close. De la rue on aperçoit son préau désert soutenu par des colonnettes en fonte, ses quatre latrines avec leurs demi-portes peintes en noir, et, à travers les fenêtres de la classe, les tableaux accrochés au mur, où s'alignent, coloriées en marron clair, les figures du décalitre et du mètre cube. Mais nulle part on ne découvre M. Chamarote.

La Péguinotte, dévorée par l'inquiétude de savoir et de dire, mais n'osant exprimer tout haut sa curiosité dans la rue, se rattrapa dès que l'on fut revenu à la maison.

— Passe encore, s'écria-t-elle, du fond de la cuisine, cette branche de fleurs !... Mais quelle honte, dites, tout de même, d'arracher bêtement tant de fruits à la force d'un arbre ! C'est Claudius qui aura fait le coup ! Je l'ai deviné. Il faut être canaille pour déchirer comme ça le plein de la Nature. Et puis, vous l'avez vu, madame, comme il la portait cette branche ? Insolent, le nez tout gonflé ! Je m'étonne que M. le Curé se soit rendu complice :

> *Pomme pourrie dans le panier*
> *Ça le gâte tout entier.*

— Claudia ! s'écria, indignée, grand-mère Saturnine.

Mais rien ne pouvait plus arrêter la Péguinotte.

— Non, madame, non ! Ça m'étouffe !... Et cette odeur ! Une odeur qu'on n'a jamais rencontrée dans

nos parages. Vous l'avez vue sortir de l'encensoir à
gauche de M. le Curé !... Et vous ne direz pas qu'il ne
la reniflait pas, lui, avec un plaisir de perdition !... Une
fumée pour mauvaise paroisse, voilà ce que c'était. Et
j'en ai pleuré toutes mes larmes pendant la messe, et
Mme Tojade aussi, la boulangère, qui était à côté de
moi, et tout le monde ! C'était de la corne de diable.
Oui, de la corne !... Pas moyen de se tromper sur la
marchandise ! Ça se reconnaît !...

D'ordinaire un pareil discours m'eût rempli
d'épouvante. Car je redoutais la perspicacité de la
Péguinotte et je pouvais craindre qu'elle ne finît par
découvrir le vrai coupable. Mais, ce jour-là, je ne
sentais en moi que le souffle de la révolte. Les cris et
l'indignation de la Péguinotte m'inspiraient une joie
sourde, et, loin de me terrifier, ses menaces me
poussaient à des élans téméraires. Je méditais, depuis
un moment, une ruse contre ma vieille amie ; et, plus
sa colère montait, plus le désir me tourmentait de
l'exaspérer davantage. Cependant, je ne disais rien. Je
surveillais la cuisine ; je voulais m'y glisser sans
qu'elle me vît. Mais elle voyait tout, et avec une
rapidité déconcertante elle apparaissait de tous les
côtés à la fois, tantôt chargée d'assiettes, tantôt un
poêlon à la main, tantôt activant le feu des fourneaux
avec une barre de fer.

— Lève-toi de ma route, guenille ! me criait-elle. Je
vais t'ébouillanter si tu restes là, bouche ouverte. Tu
attends des truffes ?

Hyacinthe effrayée épluchait dans un coin navets et
carottes.

La maison embaumait le civet de lapin, le thym
frais et le coulis de tomate.

Je dus abandonner la cuisine, mais non pas mon
dessein. J'attendis.

La journée s'écoula dans une atmosphère un peu

moins agitée. La Péguinotte grogna encore, mais pas
plus fort que d'habitude. Grand-mère Saturnine sema
des graines de capucines dans des pots. Grand-père
Saturnin s'installa sous le figuier et regarda la campagne. C'était son plaisir. Anselme emmena les moutons au pré. Le soir vint ; on dîna puis on alla se
coucher. Les bruits cessèrent. La Péguinotte, qui
restait en bas la dernière à ranger la vaisselle, gour-
manda pendant quelque temps Hyacinthe, puis l'envoya au lit.

Hyacinthe dormait dans une chambrette qui donnait sur la cuisine. Elle l'entretenait fort bien. Il y
avait toujours sur sa fenêtre un pot de grès plein d'eau
où trempait une branche de buis et, au moment des
fleurs, soit quelques pâquerettes, soit un brin de
genêt.

J'attendais toujours. Enfin la Péguinotte se résigna
à quitter la cuisine, et je l'entendis gravir les escaliers
en soupirant. Elle grommela en passant devant ma
porte :

— Encore une journée de martyre !

Puis s'arrêta. Elle pensait à haute voix, comme
toujours :

— Et le feu, est-ce qu'il est bien éteint ?...

Elle hésitait à aller se coucher.

Tous les soirs, un problème domestique l'arrêtait
un instant sur le palier du premier étage. Elle y
délibérait, et même y faisait des projets d'avenir.
Quelquefois elle redescendait en gémissant jusqu'à
l'office.

Ce soir-là, cependant elle finit par regagner sa
chambre qu'elle verrouilla à grand bruit, car elle
affichait volontiers sa méfiance.

J'attendis encore ; puis, quand je la jugeai endor-
mie, je me glissai, pieds nus, dans l'escalier et de là
j'arrivai à pas de loup dans la cuisine.

Tout y était éteint, mais par la fenêtre coulait la clarté de la lune. Je m'approchai du fourneau à peine tiède, où plus rien ne paraissait brûler. Doucement j'y laissai tomber une de ces boulettes d'encens que j'avais prises dans la sacristie. Le lendemain, en allumant son feu, la Péguinotte recevrait en plein dans le nez tous les aromates du Roi des Rois. J'imaginai déjà son épouvante et son éloquente protestation. Cela promettait une belle journée... Je riais seul...

Tout à coup j'entendis un grincement léger et me retournai. J'aperçus, debout à la porte de sa chambrette, en chemise de nuit, sa couette dans le dos, l'orpheline Hyacinthe.

Immobile, toute roide, dans le blanc de la lune, elle me regardait.

J'eus un mouvement de colère et marchai vers elle, les poings serrés ; tellement qu'elle recula d'un pas dans sa chambre, mais sans fermer la porte. Je n'osai en passer le seuil. Un trouble me saisit, qui n'était pas la peur mais une sorte de timidité.

A reculons, elle continua sa retraite jusqu'à son lit. Elle me regardait toujours de ses yeux immobiles. J'aurais voulu lui crier des mots désagréables, mais je n'en trouvai point.

Ce fut elle qui parla la première. Elle me dit :

— Quand tu es entré dans la sacristie, Anne-Madeleine t'a vu. C'est toi qui as apporté la branche.

— Tu le diras ?

— Non. Pas moi.

— Qui, alors ?

— Je ne sais pas. Anne-Madeleine, peut-être...

— Et toi ?

— Tu es mon petit maître. Je me tairai.

Elle ne bougeait plus. Il me sembla qu'elle attendait encore une question, mais je ne savais que lui dire.

Alors tout à coup elle pleura. D'abord je ne

compris pas que c'étaient des larmes. Un hoquet bref
la secouait, cependant que, pieds nus sur les carreaux
glacés, elle restait toujours aussi raide. Pour retenir
son halètement elle avait porté sa main droite sur sa
poitrine. Mais un sanglot plus fort la secoua, malgré
elle, et se détacha du fond de sa gorge. C'est alors
seulement que je compris qu'elle pleurait.

Je m'enfuis.

Je me barricadai dans ma chambre et me couchai
aussitôt. J'attendis. A mon sens il devait se produire
quelque chose.

Vers une heure du matin l'odeur de l'encens passa
sous ma porte. Elle était arrivée mystérieusement et la
nuit avait exalté ses puissances. D'autres arômes en
sortaient maintenant, déliés par l'ombre et la complicité de la maison. D'étranges particules délivrées par
l'attrait de ces vieilles murailles agissaient sur l'esprit
de l'encens, le portant à son paroxysme.

Ce n'était plus encens d'église mais un parfum
inquiétant, un peu barbare, et cependant grave, religieux.

J'avais peur et j'entendis qu'on remuait dans la
maison. Au-dessus de moi la Péguinotte venait de
sauter de son lit. Elle ouvrit sa porte. L'encens avait
atteint les combles, empli l'escalier. Grand-mère
Saturnine se leva à son tour et sortit de sa chambre.

— Mon Dieu ! vous sentez ça, madame ? lui
demandait la Péguinotte. Ça vient d'en bas.

J'écoutais.

— Il faut aller voir, dit grand-mère.

La Péguinotte ne répondit pas. On la devinait
épouvantée.

Grand-mère Saturnine descendit au rez-de-chaussée. Je l'entendis qui s'écriait :

— Mais ça sort de la cuisine ! Le fourneau fume !

D'en haut la Péguinotte lui cria :

— Méfiez-vous, madame ! Ça peut sauter.

Grand-mère, impatientée, lui ordonna de descendre. La Péguinotte obéit à regret, mais ne put aller au-delà du premier étage. Elle soufflait de peur.

— Il nous faudrait un homme, murmurait-elle.

Grand-père Saturnin dormait et il ne pouvait être question à une pareille heure de troubler un sommeil qui, selon grand-mère Saturnine, était visité quotidiennement par les anges.

— Constantin, lève-toi, me souffla la Péguinotte à travers le trou de la serrure.

Pour la forme je fis la sourde oreille. Elle frappa. Je lui demandai :

— Que veux-tu ? Qu'est-ce qui se passe ?

— Ouvre vite. Je t'attends devant la porte.

J'ouvris. Elle haletait. Nous descendîmes. Elle me fit passer le premier.

La cuisine était pleine de fumée.

— C'est de là que ça monte, dit grand-mère en montrant le fourneau. Du reste ça embaume l'air !... Mais qui diable nous a fourré de l'encens dans le feu ?

La Péguinotte se frottait les paupières et grommela :

— Hé ! qui voulez-vous que ce soit, madame ? Il n'y a rien que M. le Curé, en somme, pour savoir...

Mais grand-mère Saturnine ne l'écoutait plus. Elle réfléchissait. Tout à coup elle demanda :

— Et la petite ? C'est curieux, elle dort toujours ? Il faudrait voir. Regarde, Brigitte !

La Péguinotte s'approcha lentement de la porte, ferma les yeux, tourna la tête, se signa et ouvrit.

La chambre était vide. Hyacinthe avait disparu.

Ce fut Anselme qui la ramena, le lendemain matin. On l'avait cherchée sans succès, autour de la maison, une bonne partie de la nuit. Anselme en paissant ses moutons l'avait découverte dans une clairière, plus loin que la Gayolle, à mi-chemin de Belles-Tuiles ; elle paraissait perdue et elle pleurait. Il la présenta lui-même à grand-mère Saturnine.

— C'est elle qui a fait le coup, affirma aussitôt la Péguinotte.

— Pourquoi t'es-tu sauvée, cette nuit ? lui demanda grand-mère.

La petite baissa le nez et ne répondit rien.

— Si le diable lui a cousu la bouche, grogna la Péguinotte, on ne peut plus la garder à la maison.

Mais grand-mère insista avec douceur. Rien ne pouvait la décourager et on ne résistait guère à son affectueuse obstination.

— Si tu es partie de ta chambre, c'est que quelque chose t'en a chassée. Mais quoi ?

— J'ai eu peur, finit par avouer la petite.

— Tu as entendu du bruit ?

— Oui.

— Tu as vu quelque chose ?

Hyacinthe me regarda avec terreur, baissa les yeux et murmura :

— Non, personne.

Grand-mère l'observait.

— Pourquoi as-tu dit : *personne* ?

Hyacinthe haussa les épaules.

— Je ne sais pas.

Grand-mère se tourna vers moi :

— Et toi, Constantin ?

J'étais glacé de peur. Mais brusquement, Hyacinthe parla :

— Madame, il y a eu un petit bruit dans le placard... je me suis levée... Alors M. Constantin a crié dans sa chambre. Ça lui arrive, comme ça, la nuit... je l'entends d'en bas... Anselme m'a dit que

c'est quand on rêve... Alors il rêvait... La cuisine était
vide... j'ai eu peur... et je me suis sauvée dehors et j'ai
couru... Voilà tout...

Hyacinthe avait prononcé ces paroles d'un trait,
avec beaucoup d'émotion. Grand-mère Saturnine ne
la quittait pas du regard, mais la figure de la fillette
restait close, presque inhumaine.

— Pourquoi ne m'as-tu pas raconté cela tout à
l'heure, Hyacinthe ?

Hyacinthe hésita un peu, puis leva sur grand-mère
deux yeux purs.

— A cause de M. Constantin. Je ne voulais pas dire
que je l'avais entendu crier, je croyais que c'était mal.

Grand-mère fronça le sourcil, se leva, renvoya la
petite.

Je m'attendais à un interrogatoire pénible. Il n'en
fut rien. Grand-mère prit son livre de *Fables et
Proverbes,* me fit asseoir et me demanda doucement :

— Constantin, est-ce que tu sais ta leçon ?

Le cœur battant, je récitai :

> *Les animaux les plus puissants*
> *Sont le cheval, le bœuf et l'âne ;*
> *Aucun d'eux n'est très caressant...*

Je ne fis pas une faute.

— C'est bien, me dit grand-mère. Je te fais mes
compliments, Constantin. Tu travailles. Ici on t'a
appris tout ce qu'on pouvait t'enseigner. Il est temps,
je crois, de te mettre au collège.

On ne m'y envoya pas tout de suite, car la
Péguinotte pleura, Anselme devint plus taciturne et
grand-père Saturnin fut désolé. Il montra sa désolation, tant et si bien que grand-mère céda. Elle ne
résistait jamais à ses peines. Mais on me promit les

plaisirs du collège pour la rentrée des classes, après les grandes vacances.

Hyacinthe ne fut pas grondée. On l'envoya coucher dans une mansarde, à côté de la Péguinotte. Elle y transporta la caissette de bois peint où elle serrait ses petites robes, et le pot de grès pour ses fleurs.

Je l'évitais ; mais quand, par hasard, je la rencontrais, soit dans un coin de la maison, soit au jardin, elle me regardait tranquillement.

Plus que jamais elle était lavée, savonnée, lisse et comme vernissée. Elle ne montrait ni humilité ni orgueil. Elle vaquait à ses petits travaux domestiques, sans bruit, avec application, comme si ce soin eût déjà formé pour elle le plus sûr de la vie. Elle semblait ne s'attacher à rien d'autre, et, sauf ces quelques fleurs sur la fenêtre, aucun indice ne décelait qu'elle eût le moindre désir. Elle se montrait satisfaite de se trouver parmi nous, d'y accomplir les besognes qu'on lui donnait et d'habiter un corps propre et sain. Elle était Hyacinthe. Tout compte fait, c'était sa seule vanité. Cette modestie physique et morale faisait qu'on l'oubliait facilement. Elle devenait un objet ; objet mobile mais inexpressif qu'on remarquait à peine.

Cependant grand-mère, toujours si bonne, lui témoignait beaucoup d'affection. Hyacinthe l'acceptait poliment, c'est-à-dire avec un recul de méfiance, et grand-mère, qui observait cette réserve, en souffrait un peu. Elle était inquiète ; mais elle savait que les enfants font rarement de vraies confidences aux grandes personnes. Ils ne parlent guère qu'à eux-mêmes, sincèrement, quand ils sont sûrs d'être bien seuls, et qu'ils peuvent se raconter des histoires secrètes, celles sans doute de ce tiers mystérieux qui les accompagne partout comme le Génie de l'enfance et dont, pendant quelques années encore, ils auront le bonheur d'entendre la voix, cette voix si semblable à la leur et cependant étrange, qui bientôt s'éteindra à jamais.

Peu à peu les commérages s'apaisèrent et, huit jours après les Rameaux, sauf grand-mère Saturnine, la Péguinotte, Hyacinthe, Anselme et moi, personne ne pensait plus aux incidents qui avaient marqué cette fête. Du moins je le croyais. La messe de Pâques avait été célébrée avec éclat, mais aucune singularité n'en avait altéré les rites. L'abbé Chichambre ne m'avait jamais interrogé sur la provenance des dons qui avaient troublé les fidèles. Savait-il seulement que c'était moi qui les avais apportés dans la sacristie ? Il s'en était servi aussitôt et sans doute devait-il les attendre. Dans ma petite tête, j'agitais ces questions qui me paraissaient entourées d'un redoutable mystère ; et je pensais passionnément à Belles-Tuiles.

Dans le village, on n'avait plus revu l'âne Culotte. Pour moi, qu'on soupçonnait peut-être, je ne m'écartais plus guère de la maison. Grand-mère Saturnine ne manqua pas de s'en apercevoir.

— Cet enfant est devenu bien sage ! soupirait-elle.

Et cette sagesse inattendue l'inquiétait.

La Péguinotte commentait mon trouble :

> *Petit qui se tourne les pouces*
> *C'est l'arbre du Démon qui pousse,*

affirmait-elle. Et le sens personnel de ces sentences ne m'échappait pas.

Dix jours après les Rameaux, à la tombée de la nuit, je passais derrière l'église, dans la ruelle de la Bonde, lorsque se dressa devant moi Anne-Madeleine, la fille du bourrelier.

— Bonsoir, Constantin, me dit-elle.

C'était bien la première fois qu'elle me parlait. Elle se tenait au milieu de la rue. Je la saluai et voulus continuer mon chemin. Elle me prit doucement par le bras et me souffla à l'oreille :

— Petit cachottier !

Je me dégageai gauchement.

— Je te fais peur ? dit-elle.

Elle avait de grands cheveux roux ébouriffés, qui sentaient la paille.

Piqué, je m'arrêtai.

Alors, tout près de moi, sur un ton confidentiel, elle murmura :

— Je serai bien gentille... Je ne parlerai pas... Mais tu me donneras, à moi aussi, une belle branche de fleurs comme celle que tu as apportée à l'abbé Chichambre... J'en ai envie...

Elle parlait d'une voix étrange, langoureuse, chargée de réticences.

— Je ne te donnerai rien, grognai-je. D'abord je ne te connais pas.

Ses yeux verts s'allumèrent. Elle éclata de rire :

— On verra bien !

Ce défi m'exaspéra. Quoiqu'elle fût déjà grande et forte, je fus pris du désir violent de la gifler, de la battre.

Buté, le front bas, je la regardais en dessous, prêt peut-être à lui sauter à la gorge.

Mais brusquement elle se fit douce :

— Tu ne me connais pas, c'est vrai ; et pourtant je suis une bonne camarade... Je t'ai vu et je n'ai rien dit à personne...

Mais ma méfiance était tenace, si bien qu'elle ajouta :

— Pourquoi, Constantin, fais-tu le méchant ? Tu n'auras qu'à pendre demain soir, vers huit heures, quand il fera nuit, la branche, à la clef du portail, du côté de la ruelle. Personne ne pourra te voir... Je serai au grenier et je descendrai tout de suite... Adieu, je me sauve !...

Elle disparut.

Stupéfait, je demeurai un moment au milieu de la rue. Puis je fis quelques pas dans la direction de la maison, car il était tard.

A la porte se tenait Hyacinthe. Il me sembla qu'elle voulait me parler, mais j'en avais assez des filles et je lui jetai un regard si méchant que, de surprise, elle en resta bouche bée.

Je passai une mauvaise nuit. Anne-Madeleine m'effrayait. Elle parlerait sûrement si je n'obéissais pas à son caprice. Mais pourquoi ce caprice ?... Je n'osais plus remonter à Belles-Tuiles. On me surveillait. Et cependant un sentiment violent et bizarre m'attirait là-haut. J'y avais entrevu un mystère. Dans un coin de ce paradis, M. Cyprien nourrissait un secret ; et je pensais, au milieu de la nuit, à cette niche noire, où j'avais vu deux yeux étinceler, puis brusquement s'éteindre.

Je passai la matinée du lendemain dans les hésitations. L'heure du déjeuner arriva sans que j'eusse rien entrepris. Partout où j'allais dans la maison (car j'errais, l'âme en peine) je rencontrais cette figure lisse d'Hyacinthe et ces yeux inexpressifs qui me regardaient. Jamais je ne l'avais tant vue ; elle se multipliait devant moi, et, plus je la fuyais, plus elle me barrait la route. Que me voulait-elle ?

Vers trois heures, je résolus de monter à Belles-Tuiles. Il ne fallait pas songer à couper une branche dans les champs, où, pendant la semaine, travaillent trop de gens pour que l'on puisse passer inaperçu. Dans les coins les plus reculés il y a toujours

quelqu'un qui vous observe. Bien posté pour y voir,
mais lui-même invisible, l'œil au ras de quelque mur,
partout se tient à l'affût un guetteur. Rien n'échappe à
sa surveillance, et l'acuité de son regard relève du
miracle.

Je quittai la maison sans que personne y prêtât
attention. Un quart d'heure plus tard je franchissais le
pont de la Gayolle et je m'engageai résolument dans le
sentier des Belles-Tuiles. A plusieurs reprises derrière
moi, j'entendis comme un pas ou des buissons qui
remuaient. Je me retournai, mais je ne vis rien.
J'arrivai à Belles-Tuiles tard, vers cinq heures.

La maison était close. J'en fis le tour sans découvrir
personne. Je me dirigeai alors vers le verger.

La barrière en était fermée. Cependant il suffisait de
pousser un loquet pour entrer dans l'enclos.

Mais tout à coup je fus pris de crainte. Car dans le
verger, non plus, on ne voyait personne ; et cette
absence me troublait. Les arbres, encore tout fleuris,
si beaux, sans défiance, s'offraient à moi, qui venais
pour les mutiler sauvagement.

J'eus envie de reculer, de repartir vers le village,
mais la pensée du scandale qui s'y produirait, si je ne
cédais pas au désir d'Anne-Madeleine, me retint ; car
je savais qu'elle me trahirait. Et alors on apprendrait
tout ; on connaîtrait mon escapade à Belles-Tuiles, et
grand-mère Saturnine me parlerait sans doute, comme
elle ne l'avait jamais fait ; après quoi on m'enverrait en
exil.

J'entrai dans le jardin.

Rien n'y était changé, et les mêmes calmes flottaient
à hauteur d'homme à travers les arbres, tellement que
je sentais quelquefois leur tiédeur contre ma joue,
quand je remuais.

Dans le plaisir que j'éprouvais par moments ser-
pentait comme un trouble. Je m'égarai dans le verger,

j'allai jusqu'à la grotte, je m'assis sur le banc et j'y oubliai quelque peu mon dessein sacrilège, et l'heure. Pas une bête cependant ; mais les seuls arbres et, d'eux à moi, cette confiance de l'air, cette bonté végétale.

Je ne m'aperçus pas tout d'abord que le soir était tombé ; et il fallut que, venu de très loin, un léger souffle m'en avertît. Il faisait déjà sombre, je me levai. J'eus peur de n'avoir plus le temps d'atteindre Peïrouré avant le moment du repos. Je perdis la tête. Je revis les yeux inquiétants d'Anne-Madeleine. Je saisis une branche, la plus proche, et je tirai. Elle résista, plia, craqua, mais tint bon. Je dus la tordre, l'arracher fibre par fibre. Mes doigts s'engluaient dans la gomme. Tout à coup la branche se détacha et tomba à terre. Je fus effrayé de sa grandeur ; elle était formée de plusieurs rameaux. En tombant, presque tous les pétales s'en étaient envolés et maintenant, sous elle, ils formaient un tapis éblouissant.

Fallait-il en couper une autre ? Je n'osai. Déjà il faisait nuit noire. Je pris la branche et me dirigeai vers la porte du jardin.

Mais la peur me cloua sur place.

Sur le pilier gauche, il y avait une bête. Je ne la distinguai pas nettement, à cause de l'ombre.

Je voyais cependant une masse sombre, enroulée, et deux yeux étincelants. La bête ne bougeait pas. Elle me regardait. Son col noir immobile dardait vers moi une tête triangulaire. Elle paraissait de forte taille. Je n'avais jamais rien vu de pareil. Il ne pouvait s'agir d'une bête de nos pays. Déroulée, elle eût coupé toute la largeur du chemin, et au-delà. C'était un serpent de la mort, grand et noir, gardien des arbres.

L'effroi me pétrifiait à dix pas de la porte ; et le verger n'avait pas d'autre issue. Je n'osais pas m'élancer, sûr que je ne passerais pas... Pris au piège, angoissé aussi par l'idée que déjà, peut-être, en bas, on

me cherchait dans le village, je restais cependant
immobile, mon larcin à la main, en face de ce monstre
calme.

Tout à coup j'eus le sentiment qu'une ombre se
levait derrière moi. Je me retournai.

M. Cyprien était là. Je le voyais mal, lui aussi. Il ne
disait rien. Il me regardait. Mon épouvante monta en
moi comme une panique et la honte en activait les
mouvements. Je ne pleurais pas. J'étais incapable de
ces manifestations grossières ; je baissais la tête ;
j'avais perdu mon corps ; je me bornais à être là ; car il
n'y avait plus, en moi, et de moi, que mon être...

Alors je vis M. Cyprien qui tendait le bras. Il me
reprit la branche ; puis, me touchant l'épaule, doucement il me poussa vers le portail. J'avançais et, à
mesure que je m'approchais du pilier, je voyais la bête
grossir et son regard étinceler davantage. Je m'arrêtai ;
mais la main de M. Cyprien m'obligea à marcher et je
sentais dans la chair de mon épaule le contact de ses
grands doigts volontaires. Je passai. J'étais sur la
route. Maintenant j'avais envie de pleurer.

— Monsieur Cyprien ! murmurai-je.

Je ne savais comment dire ma peine. M. Cyprien se
tenait près de moi. Un peu voûté, silencieux... Je le
distinguais mal. C'était une Ombre, un vieillard
irréel, détaché de moi et perdu pour toujours.

Le lien qu'il avait établi entre mon épouvante et son
amitié pitoyable, cette vieille main calme, maintenant
ne me touchait plus, et j'étais seul.

J'avais oublié Peïrouré, ma maison, ma famille,
Anne-Madeleine ; et mon désespoir me retenait là,
dans l'attente d'une parole de pardon, pour me
détacher de ma faute et me rendre à moi-même.

M. Cyprien maintenant semblait se parler à voix
basse, marmonner des mots confus, hors de ma
portée. Alors je sentis un souffle humide ; l'âne était

près de moi. Il était survenu en silence. Le vieillard me fit signe de l'enfourcher. J'obéis. J'allais quitter Belles-Tuiles. La douleur me tordait la gorge.

— Monsieur Cyprien ! implorai-je encore.

Il secoua la tête, puis je l'entendis qui me disait :

— Pour moi, je te pardonne ; mais, vois-tu, mon enfant, il ne faut pas toucher au Paradis.

Et il disparut.

L'âne me transporta rapidement jusqu'aux lisières de Peïrouré.

J'arrivai vers sept heures à la maison. Le dîner se passa sans incident. Cependant, à la cuisine, j'entendis que la Péguinotte appelait Hyacinthe.

Hyacinthe apparut seulement à la fin du repas.

Elle fut grondée, mais ne répondit rien aux réprimandes.

Je m'échappai après le dîner et allai me cacher derrière l'église, du côté de la sacristie. De là je pouvais observer le portail et la lucarne du grenier où devait se tenir Anne-Madeleine. Mais je n'y aperçus personne. J'attendis.

A huit heures, le portail s'entr'ouvrit et Anne-Madeleine jeta un regard sur la petite place. Elle ne me découvrit pas, resta un moment indécise, puis sans bruit referma le portail.

Je sortis de ma cachette, inquiet, et partis vers les champs.

Peut-être me serait-il possible d'y couper une branche, sans être vu. Mais la lune éclairait si vivement les jardins que je n'osai. Ne sachant à quoi me résoudre, je revins vers l'église. Stupéfait, je vis, suspendue à la clef du portail du bourrelier, une branche fleurie. Je m'approchai. C'était bien un rameau d'amandier couvert de fleurs. Je pris la

branche. Qui l'avait apportée ? Je n'eus pas le temps
de répondre. Le battant fut repoussé, un bras passa
devant moi, m'arracha le rameau et le portail se
referma brutalement.

J'appelai à voix basse :

— C'est toi, Anne-Madeleine ?

J'entendis un pas s'éloigner. Je restai longtemps,
furieux ; mais personne ne vint.

A la fin je rentrai à la maison.

Je rencontrai Hyacinthe dans l'escalier. Elle tenait
une bougie à la main. Quand je passai devant, elle me
dit doucement :

— Bonne nuit, Constantin.

Je la regardai. Elle ne baissa pas le regard, ce regard
d'une pureté inhumaine, et qui paraissait sans secret.
Je lui demandai :

— D'où viens-tu, comme ça, avec cette bougie ?

Le ton était désagréable.

Mais l'œil clair ne cilla point. Hyacinthe cependant
parut hésiter à me répondre ; elle s'effaça davantage
contre le mur, puis murmura :

— Comme vous, monsieur Constantin, du
Paradis.

En bas la Péguinotte commençait l'ascension des
deux étages et déjà elle gémissait :

— Bonne Mère des Anges ! Je le gagne, le ciel !...
Quelle journée !... C'est le martyre de sainte Cathe-
rine !

Je m'enfermai chez moi, me couchai, passai une
nuit blanche et m'endormis à l'aube.

Pendant toute la nuit le démon avait parcouru la
maison.

Quelqu'un était venu en visite vers neuf heures et
on avait parlé longtemps dans la sallestre où grand-
mère Saturnine tenait de préférence ses assises.
Ensuite on avait appelé Anselme qui n'était reparti

qu'une demi-heure plus tard. Fait étrange, grand-mère Saturnine s'était retirée vers minuit, contrairement à ses habitudes qui la mettaient au lit à dix heures. Une fois chez elle, je l'avais entendue converser longuement avec grand-père Saturnin. A cause de la surdité de ce dernier elle élevait la voix et le bruit de ses paroles, sinon leur sens, arrivait jusqu'à mes oreilles. Enfin elle se tut. Mais vers deux heures du matin, la Péguinotte se leva à grand fracas. Elle souffrait d'un horrible malaise, comme je l'appris par les plaintes explicatives qu'elle élevait, en descendant les escaliers. Elle se rendait, disait-elle, dare-dare à la cuisine pour s'y préparer une infusion de bonnes herbes.

Grand-mère se leva à son tour, sans doute pour la soigner. Les plaintes s'apaisèrent et, toutes deux, elles restèrent longtemps en bas, à chuchoter.

Enfin à l'aube la maison rentra dans le silence et je pus m'endormir. J'oubliai tout.

Je fus éveillé, Dieu sait quand, par l'appel de la Péguinotte qui frappait à ma porte en criant sans aménité :

— Constantin, descends tout de suite, ta grand-mère veut te parler.

Je sautai de mon lit, épouvanté. En sortant de ma chambre, je vis Hyacinthe sur le palier. Elle me fit un signe, mais je passai outre.

Grand-mère Saturnine était dans la sallestre. Elle me dit :

— Constantin, voici ce que j'ai décidé. Tu partiras à trois heures, pour Costebelle, chez les cousins Jorrier. Tout est prêt pour ton voyage. C'est moi qui t'accompagnerai. Et tu resteras là-bas jusqu'aux grandes vacances. Va ranger tes affaires. J'ai dit.

Je sortis de la sallestre, sans avoir osé ouvrir la

bouche. J'allai dans la cuisine pour y retrouver la Péguinotte.

— Je pars, lui dis-je, chez les cousins Jorrier. Tu sais pourquoi ?

La Péguinotte épluchait des pommes. Elle se leva et, sans un mot, me fit signe de sortir.

Cette fois, les larmes me vinrent aux yeux. Elle-même m'abandonnait.

Toutefois je me mis en quête d'Anselme. Il savait, peut-être.

Je le trouvai dans le pré de Sainte-Anne, avec ses brebis. A mon approche, lui aussi se leva ; mais, au lieu de me chasser comme la Péguinotte, il vint lentement vers moi. Avec son grand chapeau, son anneau d'or, sa barbe blanche et cette taille gigantesque, plus que jamais il me parut imposant. Je n'osais pas l'interroger. Lui cependant il m'examinait avec douceur. Je remarquai qu'il avait de grands yeux striés de noir, où passaient tantôt de légers nuages, tantôt des figures de calmes, comme j'en avais observé au-dessus du jardin de Belles-Tuiles.

Il ne paraissait pas fâché. Il me dit :

— Alors, tu t'en vas ?... Pourquoi as-tu arraché cette branche à l'amandier majeur de notre jardin ?

J'écarquillai les yeux :

— Quelle branche ?

Il continuait à m'examiner.

— La branche que tu as donnée à Anne-Madeleine. Elle a tout raconté à son père.

Cette fois je tremblai.

— Et son père est venu hier soir se plaindre de toi à Mme Saturnine. Il a rapporté la branche. Alors de bon matin, on est allé au verger ; et on a vu que, le grand amandier, quelqu'un l'avait mutilé, cette nuit. Tu comprends ?

Je m'écriai :

— Ce n'est pas moi, Anselme, je te le jure ! Anne-Madeleine, je ne sais pas pourquoi, m'a bien demandé un rameau, avant-hier, c'est vrai, mais je n'ai pas pu le lui apporter. Elle voulait que je le prenne à Belles-Tuiles...

Il détourna les yeux, réfléchit, gratta la terre de son bâton.

J'attendais, anxieux.

— Si tu dis vrai, finit-il par me répondre, c'est encore plus grave... Dans tous les cas, il vaut mieux que tu partes...

Il me prit la tête dans ses deux grandes mains, me regarda longuement, d'un air sérieux, tranquille, puis il me dit :

— Je vois ce que c'est. Mais il ne faut pas avoir de la peine. Adieu, petit. Je gronderai Hyacinthe...

Et il retourna à ses moutons.

Le soir même, je fus confié à la garde des cousins Jorrier que je n'avais jamais vus qu'une ou deux fois sans plaisir, et qui habitaient à dix lieues pour le moins de Peïrouré, dans la plus triste maison du plus sombre quartier de Costebelle.

Je pleurai toute la nuit sous mes couvertures, et puis, dès le matin, quand le soleil parut, je séchai mes larmes, m'assis sur mon lit et, avec un furieux ravissement, je me remis à penser à Belles-Tuiles.

Pendant les trois mois que je restai à Costebelle, je ne pensai guère qu'à cela. Les cousins Jorrier n'étaient pas de mauvaises gens : c'étaient des cousins, voilà tout. Contemporains de mes grands-parents, ils nourrissaient à l'endroit de grand-mère Saturnine une admiration respectueuse dont je leur savais gré ; mais, en dépit de leurs bonnes intentions, pour moi, ils restèrent toujours des étrangers. Costebelle n'est pas un lieu de délices : entourée d'arbres et de prairies humides, dans un trou, à peine une petite ville. Quant au quartier des Pacardaux où les cousins Jorrier possédaient leur demeure, c'était bien le plus mélancolique habitat du monde. Une ruelle étroite, des maisons noires et hautes, pas de jardin, des cours, quelques fenêtres grillées, privées de soleil. J'y vécus fort malheureux. Chaque jour un vieil instituteur à la retraite venait m'enseigner à domicile ce que, resté à Peïrouré, j'aurais dû apprendre en compagnie de M. Chamarote. Il travaillait une heure avec moi. Je n'en ai gardé aucun souvenir.

Mon esprit se tenait ailleurs, cramponné à dix lieues de là, sur les pentes de nos collines.

Grand-mère écrivait une fois par semaine. Des lettres calmes. De loin elle veillait à tout.

Les cousins recevaient ses instructions comme des oracles et moi j'attendais avec impatience ce mois de juillet qui devait me ramener à Peïrouré, chez nous.

Mais juillet vint et on ne me rappela pas. Grand-mère arriva un beau jour.

— Ce petit est pâlot, déclara-t-elle. Il lui faut l'air de la campagne.

C'était bien mon opinion.

— Nous l'emmènerons à Gripault, répondirent les vieux cousins en chœur.

Gripault était une propriété qu'ils possédaient à une lieue de Costebelle. Ils allaient y passer les mois de chaleur.

Je les y suivis une semaine plus tard. Gripault me parut horrible. Pendant tout le mois de juillet, je refusai de sortir, sauf le dimanche pour aller à la messe. Tantôt je lisais dans ma chambre. J'avais déniché quelque part des contes : *la Sauvagine* de Joseph d'Arbaud et j'en faisais mon bonheur. Tantôt, je restais seul, à ne rien faire, assis contre un mur au bout du jardin. Les cousins Jorrier, inquiets de ma façon de vivre, essayèrent maladroitement de m'en divertir. Ils me posèrent des questions. Je répondis à côté. Irrités, ils devinrent désagréables. D'ailleurs, depuis quelques jours ils se montraient nerveux et comme désorientés. Il y avait bien deux semaines qu'on ne leur écrivait plus de Peïrouré. Ils reçurent enfin une lettre qui mit le comble à leur agitation. On ne m'en parla point mais j'en vis l'enveloppe qui n'était pas de la main de grand-mère Saturnine. A dîner, j'entendis le cousin Jorrier dire à sa femme :

— Peut-être que demain on aura une autre lettre.

Mais le lendemain matin, le facteur ne vint pas. L'après-midi, il passait vers cinq heures. Un peu avant, je sortis du jardin et allai assez loin à sa rencontre. Il me donna le courrier sans difficulté, trop heureux d'épargner à ses jambes un bon bout de chemin.

Il y avait deux lettres, l'une pour les cousins, l'autre pour moi. De qui était-ce ?... Jamais personne ne m'avait écrit... Des caractères tracés à l'encre violette, irréguliers, de travers. Un feuillet seulement. Sur le recto, je lus :

« *Monsieur Constantin, votre grand-mère est bien malade. Venez vite.* »

Et de l'autre côté, ces mots, en guise de signature :
« *La petite Hyacinthe.* »

Je rentrai aussitôt à la maison, déposai sur la table la lettre destinée aux cousins et montai dans ma chambre.

Je savais que, de Costebelle à Peïrouré, il y a à peu près de trente à quarante kilomètres de distance. A pied, il me faudrait deux jours pour les parcourir ; car il ne me vint pas à l'esprit de prendre le train ou la diligence ; on m'y aurait vite retrouvé. Je connaissais mal le chemin, mais je savais en gros qu'il fallait

marcher toujours vers l'ouest, passer deux petites
rivières, bifurquer à droite après la deuxième, et
traverser encore deux villages : Silvecorde et Réalpanier. Je résolus de partir le soir même.

Au dîner, les cousins, de plus en plus accablés, ne
m'adressèrent guère la parole.

Quand je fus bien sûr qu'ils étaient au lit, je
descendis à la cuisine, pris un pain, des figues, des
noix, le carnier du cousin, un gobelet, et je sortis sans
bruit de la maison. Arrivé hors du jardin, je tournai à
gauche.

Il n'était pas plus de neuf heures ; la lumière
éclairait la campagne et il faisait chaud. Je reconnus le
chemin vicinal, puis la route départementale et me
dirigeai vers Costebelle où j'arrivai une heure plus
tard. A Costebelle tout le monde dormait ; pas une
âme dans les rues. Je traversai la petite ville, me
retrouvai dans les champs et m'arrêtai huit cents
mètres plus loin, à un carrefour. De là partaient deux
routes : l'une qui descendait bêtement vers la plaine,
l'autre qui allait Dieu sait où, mais qui montait. Je la
choisis. Je marchai longtemps. Il faisait doux. J'entendis sonner onze heures, puis minuit, dans un village
que je ne parvins pas à découvrir, vers ma droite. Déjà
j'avais pris de la hauteur et j'apercevais devant moi,
mais encore fort loin, la masse bleutée d'une grande
chaîne de collines. Je pensai que par là devait se
trouver Peïrouré.

Bientôt le chemin atteignit un plateau pierreux,
couvert d'arbustes bas, sans une maison. J'eus peur et
continuai ma route en suivant le creux du fossé.

Je commençais à être las. Cependant j'avançai
encore au jugé pendant près d'une heure, puis je me
laissai tomber sur le bord du fossé.

Partout autour de moi s'étendait cette garrigue
déserte. Pas un bruit, sauf le chant de quelques

grillons. La lune se tenait très haut, la terre sentait bon
et le ciel, lui aussi, avait l'air d'un grand plateau
pierreux dont, pour l'instant, rien ne troublait la
solitude.

J'essayai de repartir, mais j'avais les membres
ankylosés. Je fis cependant quelques pas hors de la
route. Je n'avais plus peur, mais je désirais trouver un
abri à l'écart pour m'y coucher et dormir. Je finis par
m'étendre au pied d'un chêne nain, la tête contre une
racine, les reins dans les cailloux. C'était la fin de
juillet, vers la Sainte-Madeleine, je crois, et, de temps
à autre, il passait dans le ciel tiède, pas très haut, un
paquet d'étoiles filantes. Je m'endormis.

Ce fut un dur sommeil. Quand je m'éveillai, l'aube
éclairait déjà mon abri. Je voulus remuer et mon corps
me parut endolori des pieds à la tête. Cependant
l'étendue du plateau, toute rose, avec ses buis et ses
bruyères, m'emplit de stupeur et d'émerveillement.

Pas un oiseau. Du sol frais s'élevait déjà cette bonne
odeur de pierre brûlée et de calcaire friable qui
annonce, chez nous, la présence des collines. Les
collines, je les voyais bien maintenant. J'en étais plus
près que je ne l'avais supposé, pendant la nuit. Ainsi
j'avais parcouru beaucoup de chemin. Elles se
levaient, à l'ouest, par mamelons successifs, chacun
touché d'une lumière différente.

Je déjeunai de figues et de noix, tout en les
regardant, puis, ayant secoué mon corps raidi, je
repris mon voyage à travers le plateau désert.

Avec beaucoup de constance je marchai jusque vers
neuf heures. Alors je fis halte de nouveau, j'étais
moulu de fatigue. Cependant, malgré la chaleur
grandissante, à midi, j'avais encore abattu un bon
bout de route. Je déjeunai, et bus avec délices de l'eau
bien fraîche à un ruisseau. J'avais alors quitté le

plateau et me trouvais dans une dépression plantée
d'arbres. A ma droite, une ferme.

Je franchis successivement deux petites rivières et
repris ensuite de la hauteur. J'étais sur la bonne voie,
car déjà j'apercevais le village de Réalpanier. Des
voitures, qui sans doute se rendaient à quelque
marché, arrivaient sur la route. Pour ne pas les
rencontrer, je la quittai et me jetai à travers champs.
Ainsi je pourrais éviter le village. Il faisait très chaud.
Bientôt ayant perdu la route de vue, je dus m'orienter
vers les grandes collines toutes proches. Mais, malgré
mon obstination, au bout d'une lieue il me fut
impossible d'aller plus loin. Je dus m'allonger sous un
figuier et m'y endormis brutalement. Je m'éveillai
seulement vers le soir. J'avais encore quelques figues,
je les mangeai et repartis en traînant la jambe, car rien
ne pouvait abattre ma volonté d'arriver coûte que
coûte à Peïrouré le jour même. Je pensais à grand-
mère Saturnine malade, à la pauvre Hyacinthe, à
Anselme et, par moments, avec un grand trouble, à
Belles-Tuiles. Ce jour-là, tout compte fait, je crois
que je fus un brave petit homme.

Je ne sais comment j'entrai dans un bois, et je n'y
avais pas fait cinq cents mètres que j'étais perdu. Plus
je marchais, plus je m'enfonçais sous le plein des
arbres, où le sentier que je suivais m'abandonna.

Je ne devais pas être loin de Peïrouré, mais la nuit
venait vite et je ne retrouvais plus ce sentier trompeur.
Cependant, je n'avais pas perdu la tête et autant que je
pouvais en juger, je devais tourner en rond dans la
silve de pins dont la lisière sud touchait au jardin clos
de Belles-Tuiles. Faute de mieux, en continuant à
marcher droit vers l'ouest, j'atteindrais la bastide de
M. Cyprien, et de là j'aurais tôt fait de descendre à
Peïrouré par un chemin connu. Je m'imposai ce
dernier effort de tirer de mes pauvres jambes encore

un peu de chemin et, me guidant sur les dernières lueurs du jour, le cœur battant, la tête basse, recru de fatigue, mais encore porté par ma petite volonté, je partis, sous le bois déjà sombre, à la recherche de Belles-Tuiles.

Je marchais. Les troncs d'arbres se multipliaient autour de moi et j'avançais à l'estime vers un ouest imaginaire ; car, le jour ayant bientôt disparu sans laisser de traces, et le ciel tout entier baignant dans cette lueur diffuse des nuits de juillet qui s'épand également sur tout le cercle d'horizon, rien, au fond de la pinède où j'errais, ne pouvait me fournir de point de repère. J'avançais cependant ; je comprenais que, si je m'asseyais, le découragement me vaincrait aussitôt ; et alors, je m'arrêterais au pied du premier arbre, et là, je serais impuissant et malheureux. Mais j'avançais lentement ; plus de sentier ; j'étais vraiment perdu. Par bonheur, sous les pinèdes, il est rare qu'on rencontre des fourrés, le sol est lisse, les pins assez espacés et l'on circule facilement sous leur couvert. Mais l'air y était resté étouffant ; il est vrai qu'il embaumait, et cette odeur mordante de la résine me rassurait un peu.

Combien de temps marchai-je ?... Je l'ignore. Plus j'allais, plus mes forces devenaient incertaines et quelquefois je trébuchais contre une racine.

Tant que je gardai ma tête solide je pus continuer ma route. Mais peu à peu la courbature de mes membres s'étendit jusqu'aux points les plus sûrs de mon corps. Elle monta plus haut que mes épaules, atteignit à ma nuque, et alors je sentis, comme l'affleurement d'une lassitude immense qui, me sembla-t-il, arrivait au niveau de mon âme. Vaguement entrevus, innombrables, les arbres tournaient déjà autour de moi et je les regardais passer, la vue brouillée, l'esprit à l'abandon. Je n'avais pas atteint le bout de mon courage ; mais j'avais épuisé ma vigilance, je mourais de fatigue.

J'étais devenu insensible ; en moi l'esprit de résistance, réduit à rien, ne me fournissait plus même un sursaut lorsque je butais contre un caillou. J'allais, et je perdis bientôt cette dernière conscience purement musculaire de la marche.

Je dus tomber dans un trou, et ne me relevai plus, anéanti.

Quand je m'éveillai, la lune était déjà levée, mais depuis peu. Je ne la voyais pas, car j'étais allongé sous un pin, le dos tourné à l'est, où elle venait d'apparaître. Mais devant moi sa clarté calme illuminait une petite clairière. Sans doute m'avait-elle éveillé. Cependant à peine apparue, elle enchantait déjà les profondeurs de la forêt. Elle n'était pas encore très haute, mais c'est (je l'ai constaté maintes fois), au moment singulier de son aube nocturne, quand elle pointe sur des crêtes, que son attrait trouble le plus profondément la cime des arbres, où dans les rames, dès que les atteint sa lueur, le vent, si ce n'est une âme plus tendre, élève sa plainte et la livre au silence de la nuit.

Je m'éveillai très doucement, à peine touché par ce soupir sylvestre et la première clarté de la vieille planète ; si doucement que je ne repris point de contact matériel avec la vie environnante. Entre mon sommeil et les formes à peines éclairées de ce bois, j'hésitai sans doute longtemps à détacher du monde antérieur où me tenaient encore les puissances obscures, ce monde jeune et frais baigné d'une paisible lumière qui sans secousse m'avait fait simplement changer de rêves. Car je ne me souviens pas de m'être parfaitement éveillé, tant ce qui m'arriva ensuite reste encore aujourd'hui enveloppé d'étrangeté et contredit aux habitudes de ma raison. Je pris sans doute une autre position entre le sommeil et la veille, j'occupai un point de moi-même où me parvenaient à la fois et les mystérieuses féeries de rêve et la simple fraîcheur de la nuit. J'entendis un appel.

Non pas un appel imaginaire. Non. Un son. Il venait de l'ouest, de par-delà la clairière. Il arriva sur moi à l'improviste, assez haut, vif. Et je me levai. Je n'eus pas bien longtemps à attendre. La note éleva deux fois son appel, puis elle laissa passer un grand moment de silence.

Il y avait certainement quelqu'un, à cent mètres plus bas, qui, Dieu sait de quel instrument, avait tiré ces trois notes brèves. Je fis quelques pas dans la clairière puis je m'arrêtai. Rien. Alors je gagnai l'autre bord, m'allongeai dans l'herbe et attendis. Il se passa peut-être un quart d'heure. Pas une branche ne bougeait. Il faisait très doux. Il n'y avait plus un chant de grillons dans toute l'étendue.

Tout à coup (mais tout près, cette fois) la note éclata, et aussitôt il en jaillit un tel esprit de violence que j'eus peur.

Mais l'élan s'apaisa, le souffle enveloppa je ne sais quel corps aérien et, calme, il en détacha une brève mélodie : quatre ou cinq notes seulement, mais chargées de durées secrètes, coupées de pauses imprévues, quatre notes passionnées qui avaient touché au bois humide de la flûte, qui sentaient l'herbe d'été et le roseau magique.

Je m'avançai avec précaution. Maintenant, sans s'écarter du cercle de ses quatre notes, le chant continuait, tantôt sur le registre aigu de l'appel, tantôt sur les tons plus graves de quelque enchantement barbare. La lune pénétrait dans le bois et déjà les ombres fourmillaient de lumière.

La forêt s'animait. J'entendais un sourd piétine-

ment. Plus haut que moi, des branches froissées par
de mystérieux passages parfois éclataient net, et
partout s'élevait comme un crépitement de feuilles. Je
me tapis. Une lourde masse fonça, puis des corps plus
légers glissèrent dont je ne distinguai que le mouvement furtif et les ombres. Parfois un souffle bref, un
ahan, puis une haleine sauvage, et de nouveau cette
multitude de pas assourdis. C'était comme une migra-
tion de bêtes invisibles ; car (je n'en doutais pas) des
bêtes répondant à l'appel étrange, arrivaient de tous
les côtés à la fois. Maintenant il devait y en avoir des
centaines. Je n'y tins plus ; je rampai sous les basses
branches et je parvins jusqu'au talus le long duquel,
protégé par un chêne kermès, je me couchai. Là,
j'étais à l'abri. Alors je passai la tête. Et je vis.

Je vis un vallon, sans un arbre, mais entièrement
clos par la couronne sombre des chênes.

La lune, encore basse, n'éclairait qu'une petite
partie du vallon. Tout le reste plongeait dans l'ombre.

Sur un rocher, presque en face de moi, il y avait un
homme. Je le distinguai mal. Il ne bougeait pas.
Cependant il me parut qu'il portait ses deux mains à
son visage et qu'il les faisait glisser lentement. Il
jouait. Je ne voyais pas l'instrument dont il tirait la
mélopée singulière qui m'avait amené jusque-là. Mais
par ailleurs son attitude m'intriguait. Il semblait
regarder obstinément vers un autre rocher, plus haut
que lui, planté tout contre la muraille des chênes et
déjà blanc de lune.

Tout en le contemplant, il jouait. Il jouait la
douceur, il jouait la colère, mais toujours avec un
retour sur un tourment plaintif, une mélopée d'obses-
sion, à laquelle, plus bas, presque sous ma cachette, au
creux le plus noir du vallon, répondait le bruit sourd
d'un piétinement innombrable et le halètement rauque d'une masse sombre qui, autant que j'en pus

juger, semblait se mouvoir, sur cette cadence triste et tenace, sans un cri, avec une sombre volonté.

Il y avait là des bêtes... Lesquelles ? Je ne les voyais pas ; peut-être toutes les bêtes de la forêt, de la montagne... Du sol montait une colonne de poussière et l'odeur du sauvage. C'était bien cette odeur de poil, de sueur et de gibier noir qu'exhale le sanglier à bout de forces ; mais il s'y mêlait des senteurs moins loyales : le puant de la fouine, peut-être la fétidité du loup. Ils dansaient. Je ne les voyais guère ; mais ils dansaient. La masse oscillait lourdement, en mesure ; les petits perdus sous les gros, sans doute, les gros serrés flanc contre flanc, le museau bas, mais tournés vers l'homme. Lui, il ne les regardait pas. Il contemplait obstinément le rocher clair ; et il jouait. Il jouait de plus en plus vite ; il poussait un air plus impérieux dans les quatre ou cinq roseaux de sa flûte ; il posait une prise plus large sur ces têtes bestiales ; il jouait comme un démon ; il étendait son cercle magnétique par-delà le vallon dans lequel hâtivement se glissait, de temps à autre, un retardataire. Il appelait, il appelait, comme si quelque bête obstinée à ne pas répondre eût manqué à ce rassemblement nocturne. Il cherchait partout cet absent, par deux notes sifflantes, et alors toute la multitude gémissait. Il hâtait sa venue ; il voulait ; c'était une lutte ; il haletait lui-même ; par moments son souffle devenait court, menaçait de mourir ; mais toujours il se reprenait, car c'était un homme, ou tout au moins une âme incarnée dans cette figure, et qui ne voulait pas être vaincue. Mais souvent on sentait sa souffrance, et la maîtrise de son cœur faiblissait. Alors il forçait son élan, il respirait plus vite, il précipitait son débit et la dernière note lancée à bout de souffle, n'était qu'un cri...

Il se tut.

La masse animale s'immobilisa.

Sous le rocher une bête venait d'apparaître. La lune l'éclairait en plein. C'était un long renard. Je le voyais de profil. Une bête admirable.

Tout argenté par la clarté lunaire, un renard irréel. Il avait surgi là. D'où ? Comment ? Je ne sais.

Il tremblait. Malgré la distance on voyait qu'il tremblait.

Il fit un mouvement du col, comme pour fuir. Un sifflement traversa le vallon.

Le renard s'arrêta, leva le museau vers les astres et poussa un glapissement lugubre. Il s'accroupit sur le rocher, et glapit de nouveau deux ou trois fois, mais plaintivement.

Alors l'homme lança un appel guttural, et, sur le rocher par-dessus le renard, deux yeux de feu étince-lèrent. Ces yeux ! La bête du Jardin...

Le renard hurla de terreur...

Déjà l'homme marchait vers lui.

Ce fut Anselme qui me retrouva. Je ne sais comment il s'y prit, mais il me découvrit, endormi sous un arbre, dans Silve-Haute, à deux lieues du village, le lendemain, vers dix heures du soir.

Je dormais, à poings fermés. Il eut beau me secouer, il ne parvint pas à me réveiller convenablement. Alors il me chargea sur son large dos et me ramena à la maison. J'y dormis encore toute une nuit et une bonne matinée.

Quand j'eus suffisamment retrouvé mes esprits, je reconnus ma petite chambre et, rangés tout autour de moi, grand-père Saturnin, Anselme, la Péguinotte, Hyacinthe et l'abbé Chichambre. Un vrai conseil. Tous me regardaient.

Grand-père souriait.

— Tu nous as fait une rude peur, saligaud, grogna la Péguinotte.

— Et grand-mère Saturnine ? demandai-je.

— Elle dort, me répondit la Péguinotte. Il sera toujours temps de lui apprendre ton escapade.

Puis, plus doucement :

— Elle va mieux.

Je fondis en larmes. J'étais heureux.

L'abbé Chichambre réfléchissait. Il murmura :

— Enfin, sans l'âne nous n'aurions rien su...

Les yeux clos, j'écoutais avidement.

— A trois heures, il a fait un tel boucan à ma porte !...

Il se tut.

— Mais comment avez-vous compris que c'était pour notre petit ? demanda Anselme.

— Je ne sais pas ; un instinct ; il m'a ensuite amené ici...

Vous l'avez vu, il nous tirait vers la montagne...

Mais c'est vous, Anselme, qui avez eu la chance, puisque vous avez retrouvé l'enfant.

— Oui, murmura Anselme. Je l'ai retrouvé ; et je vous avoue que j'ai eu peur, après coup.

— Peur ? Pourquoi ?

— Hé bien, à cent mètres de là, dans le vallon du Rasegat, il y avait un renard égorgé sur la Pierre-Blanche...

Anselme se tut. J'avais l'air de dormir.

L'abbé dit d'une voix tranquille :

— Dans ce cas, mon bon Anselme, il n'y a pas de doute, le démon est passé par là, cette nuit.

La Péguinotte se signa :

— Le petit a encore besoin de se reposer, fit-elle remarquer. On devrait le laisser un peu tranquille.

— C'est juste, répondit le curé.

— Mais, ajouta la Péguinotte, il faut que je m'oc-

cupe de madame Saturnine. Elle va se réveiller
bientôt. Et qui va garder le petit ?

— Je le veillerai, dit grand-père, et Hyacinthe me
tiendra compagnie.

J'entr'ouvris les yeux.

Il était près de moi. Les autres sortirent.

Hyacinthe s'assit au pied du lit, à ma droite, et
grand-père Saturnin à ma gauche.

Je refermai les yeux.

Dehors dans le jardin, peu après j'entendis parler la
Péguinotte. Je crois qu'elle étendait du linge.

Grand-père me prit doucement la main. Et je
m'endormis de nouveau, gardé par ce vieil ange.

On eut beau cacher mon arrivée à grand-mère
Saturnine, deux heures après, elle savait tout. Du fond
de son lit, elle se renseigna, força la vérité, donna des
ordres et tout à coup je sentis que sa volonté venait de
s'étendre jusqu'à ma chambre. Pendant deux jours je
ne pus la voir ; mais sa santé s'améliorant, on me
conduisit vers elle.

Je la trouvai pâlie, mais calme, sûre d'elle-même.
J'étais inquiet. Elle me regarda avec tendresse...

— Pauvre Constantin, murmura-t-elle. Dire qu'il a
marché deux jours pour venir me voir...

Elle avait les larmes aux yeux. Ce fut la seule fois
que je la vis donner un signe de faiblesse. Elle ne
m'interrogea point ; jamais elle n'interrogeait ; ce
n'était pas sa manière. Elle n'avait pas besoin de poser
des questions : elle savait.

Le moindre indice, un geste, une parole, un silence,
une hésitation, et la voilà au fait.

Il fallut attendre encore trois semaines de convalescence. Je les passai à la maison, la plupart du temps à
jouer tout seul, au fond du jardin, à côté des cerisiers.

Je ne sortais plus ; je ne l'osais pas, ou mieux, cela m'était devenu impossible.

Pourtant personne n'avait l'air de s'y opposer ; mais il semblait qu'en moi, depuis mon retour, quelqu'un eût déposé une défense, et m'eût chargé moi-même de me la faire respecter.

Quelquefois je rencontrais Hyacinthe près des cerisiers. C'est là que, chaque dimanche matin, elle venait étendre sa petite lessive : deux tabliers à carreaux bleus et un napperon. Quand elle avait fixé ces bouts de toile coloriée avec des épingles de bois aux branches de l'arbre, elle se retirait dans Noir-Asile. On appelait ainsi une énorme niche à chiens désaffectée. Faite de vieilles planches, depuis long-temps on n'y mettait plus rien, pas même des outils. Hyacinthe s'en était emparée. D'abord, sans rien demander à personne, elle l'avait balayée avec soin et lavée ; puis, un beau jour, on avait vu apparaître, devant la porte, un petit rideau de cretonne rose, cadeau de grand-mère Saturnine. L'apparition de ce rideau fit quelque bruit à l'office. Grand-mère Saturnine fut mise au courant : elle vint voir la cabane et, contrairement aux prévisions de la Péguinotte, elle fut prise d'un gentil rire. C'est ainsi que Hyacinthe devint propriétaire.

Pendant ses loisirs, surtout le dimanche après-midi, elle disparaissait dans Noir-Asile. Comme elle était obligée d'y entrer à quatre pattes, par dignité, elle évitait de le faire en présence de témoins. Mais, moi, je l'avais vue ; car je l'épiais. Cependant, même en son absence, jamais je n'avais pénétré dans sa cabane, peut-être par orgueil, mais peut-être aussi parce que j'avais le culte des refuges, la religion des caches, comme tant d'enfants qui se créent pour eux seuls de petites retraites, où ils vivent plus familièrement qu'ailleurs avec les compagnons imaginaires de leur âge. Dans le secret de Noir-Asile, je respectais obscurément le jeu grave et touchant de la solitude.

J'évitais même de rôder autour de ce lieu d'asile, laissant à Hyacinthe toute cette profondeur du jardin, la plus attirante peut-être, qui commençait à partir du cyprès Pantaléon. Ce cyprès était le plus grand du village. On disait qu'il comptait bien deux siècles. J'ignore pourquoi on l'appelait Pantaléon ; sans doute en souvenir du vieil homme qui l'avait planté.

Au-delà du cyprès, à droite, s'étendait un terrain abandonné où s'élevaient quatre figuiers au milieu des ronces. Il formait le territoire d'Hyacinthe. A gauche, le verger des cerisiers, quarante beaux arbres sous lesquels je me tenais de préférence, constituait ma part du jardin.

Chacun restait dans son domaine. Je n'allais pas chez Hyacinthe et Hyacinthe ne venait pas chez moi. Mais quelquefois on se rencontrait sous le cyprès. Ces rencontres, le hasard seul les combinait, car Hyacinthe et moi nous continuions, comme avant mon absence, à vivre quasiment sans avoir l'air de nous connaître.

Il y avait bien l'histoire de la lettre, que d'ailleurs grand-mère Saturnine elle-même ignorait ; car j'avais laissé mettre la folie de mon retour sur le compte d'une soudaine crise de désespoir.

— Le pauvre ! tout de même ! avouait la Péguinotte, il se languissait...

Mais moi, je la possédais encore cette lettre et je la tenais cachée.

Cependant je n'en avais pas soufflé mot à Hyacinthe et je savais qu'elle ne m'en parlerait pas. Aucun des deux n'avait envie d'y faire allusion, mais chacun, dans son âme, y pensait, peut-être avec un sourd espoir. Je comprenais obscurément l'étrangeté de cette lettre et qu'elle était aussi chargée d'un sens inaccessible. D'y avoir pensé, de l'avoir écrite, de l'avoir envoyée surtout, que de signes qui déjà m'étonnaient et cependant me restaient indéchiffrables ! Je devinais qu'Hyacinthe offrait, dans la maison, une figure à part et qu'en m'écrivant elle avait accompli un acte extraordinaire, passant la commune mesure de son âge et de sa condition. Mais j'étais irrité par les formes de sa présence. Le désaccord que déjà je notais entre cet aveu d'amitié passionnée que contenait sa lettre (« La petite Hyacinthe ») et son aspect d'indifférence tout à coup si naturel, si pur, inquiétait l'enfant violent que j'étais. Et cependant je ne l'eusse pas voulue plus parlante ; tout mouvement d'approche, tout essai de contact m'eût inspiré de la répulsion. Mais du moment que, d'elle à moi, elle avait réussi à jeter le lien de cette complicité, il me semblait étrange qu'ensuite elle n'eût pas su établir quelque confiance dans nos rapports. Le fait que je n'avais pas montré la lettre, n'était-il pas, lui aussi, comme un aveu ? N'avais-je pas ainsi fourni la preuve que j'acceptais un don obscur ? Pourquoi donc laissait-elle inachevé le travail d'un accord dont les premiers mouvements avaient été tenus secrets par moi, et si jalousement ?

Quand par hasard nous nous rencontrions sous le cyprès, elle me saluait et toujours gentiment.

— Bonsoir, je vais faire sécher ma lessive.

Et elle s'esquivait.

Tantôt je lui disais un mot ; le plus souvent je ne lui répondais pas. Non par dédain, mais j'étais gêné. Elle, n'avait pas changé : même couette, même tablier à carreaux, mêmes joues vernissées, même regard.

Vers la fin de la convalescence de grand-mère Saturnine, il se mit à faire très chaud. Souvent, le soir, après une journée accablante, on prenait le frais sur la terrasse, jusqu'à une heure avancée de la nuit. On

installait grand-mère Saturnine dans un fauteuil ; elle
était à peu près guérie, mais un peu faible encore. Une
fois assise, elle m'adressait quelques paroles, et de
temps en temps regardait le ciel. Il lui arrivait de rester
enfermée dans de longs silences qui me troublaient.
Tout à coup, comme si elle eût deviné mon inquiétude, elle me disait :

— Constantin, ne reste pas là sans bouger. Va
plutôt jouer dans le jardin... Tu n'as pas peur, je
pense ?... Il fait si beau, cette nuit !...

J'obéissais à regret ; je m'enfonçais dans le jardin
mais pour aller m'asseoir cinquante mètres plus loin
sous le cyprès Pantaléon.

Un soir, je m'y étais installé, le cœur un peu gros,
car à dîner grand-mère nous avait annoncé notre
proche départ à tous. Elle avait décidé d'aller finir sa
convalescence dans une petite ville maritime que je ne
connaissais pas, mais qui, à ce que je compris, était
située à l'autre bout de la France, près d'une mer que
je jugeai d'avance triste et inhospitalière.

Je m'assis auprès de l'arbre. J'en aimais, après la
chaleur du jour, l'odeur amère. J'écoutais les grillons
et je regardais le ciel.

Quelqu'un bougea au pied du cyprès, tout près de
moi. On y voyait mal mais je reconnus Hyacinthe.

— Tu es là depuis longtemps ? lui demandai-je.

— Oh ! oui, je suis venue quand vous êtes sortis de
table.

— C'est la première fois que tu viens là ?

— Non.

— Mais je ne t'y ai jamais vue.

— J'y viens quand vous n'y êtes pas.

— Après ?

— Oui, après.

— Et tu n'as pas peur, la nuit ?

— Si, un peu, quand il y a quelque chose qui remue

dans l'arbre ; mais ça passe et alors je reste. On est bien.

Jamais nous ne nous étions parlé si longuement. Pendant un moment nous restâmes silencieux. Ce fut moi encore qui parlai le premier.

— Tu sais que nous partons, Hyacinthe ?

— Oui, monsieur Constantin.

— Grand-mère a besoin de changer d'air.

— Oui, monsieur Constantin, et vous aussi.

— Moi ? Qui t'a dit ça ?

— Personne. Je l'ai entendu raconter...

De nouveau nous nous tûmes ; mais, cette fois, ce fut elle qui rompit le silence.

— Vous avez du chagrin ? me demanda-t-elle, très doucement.

Je ne répondis pas, mais, au bout d'un moment, je lui dis :

— Pourquoi es-tu venue ?

Elle prit son temps, puis avec une voix que je ne lui avais jamais entendue, elle me dit :

— Il n'y a plus personne à Belles-Tuiles.

Un coup sourd m'ébranla le cœur, et je suffoquai. Cela dura peu ; je me repris et vivement je me tournai du côté de Hyacinthe.

Mais elle n'était plus là.

Le lendemain je ne parvins pas à la revoir. J'eus beau chercher ; il semblait qu'elle eût disparu de la maison. La tenait-on cachée ?... Le surlendemain nous partîmes. La Péguinotte pleura, mais on n'aperçut pas Hyacinthe. Nous voyageâmes pendant deux jours, après quoi nous arrivâmes sur les bords de cette mer qui en effet me parut triste et inhospitalière. Nous restâmes dans ce pays pluvieux et bas jusqu'à la fin des vacances.

Quand vint octobre, nous ne rentrâmes pas à
Peïrouré. Grand-mère Saturnine s'installa dans une
petite ville du Midi, encore loin de notre village, et on
me mit au collège. Grand-mère Saturnine m'y accompagnait chaque matin et je n'y fus pas très malheureux. Par ailleurs, nous vivions dans un joli apparte-
ment qui donnait sur une place solitaire plantée de
marronniers. Ces arbres me rappelaient un peu la
campagne. De temps en temps nous recevions des
nouvelles de Peïrouré, où Anselme et la Péguinotte
s'occupaient du bien. Il n'y avait pas à s'inquiéter.

Mais quatre jours après la Noël, il arriva une lettre
qui bouleversa mes grands-parents. Grand-mère
Saturnine partit en toute hâte, après m'avoir confié à
grand-père Saturnin qui en demeura émerveillé.

Grand-mère retourna seulement huit jours plus
tard et ne jugea pas à propos de me donner la moindre
nouvelle de Peïrouré ni de ses gens. Je brûlais
cependant d'en avoir ; mais je n'osais pas l'interroger,
d'autant que, revenue soucieuse et taciturne, elle
répondait distraitement à mes questions et j'en souffrais.

Nous restâmes dans cette situation pendant trois
semaines encore.

Un jour, en rentrant de classe (c'était l'avant-veille
des Rois et il gelait) je trouvai grand-mère Saturnine
debout au milieu de ma chambre. Dans ses mains elle
tenait une lettre. Je la reconnus aussitôt : c'était la
lettre d'Hyacinthe. Comment l'avait-elle découverte,
sous la pile de livres où je la dissimulais soigneusement ?

Effaré, je la regardai.

— Mon pauvre petit, me dit-elle, pourquoi m'as-tu
caché ça ?

Elle pleurait.

Je me jetai dans ses bras et longtemps elle me garda

contre elle. Enfin elle se détacha de moi, replia la lettre, la replaça dans le tiroir ; puis elle m'entraîna hors de la chambre, prit un manteau et, malgré le froid, nous sortîmes.

Le vent balayait la ville. On ne rencontrait presque personne dans les rues ; il faisait déjà nuit. Nous passâmes devant l'église Saint-Agricol mais sans nous y arrêter. Nous marchions vite. Grand-mère ne me parlait pas ; je me serrais contre elle car la bise était glaciale et parfois je me demandais pourquoi nous faisions en silence cette course insensée, à travers ces rues noires et par ce froid, quand déjà toutes les maisons étaient closes. Je suivais, essoufflé. Nous revînmes seulement une heure après. Toute la soirée, grand-mère resta sombre et grand-père avait l'air très malheureux.

Je m'endormis tard. Grand-mère demeura long-temps dans ma chambre, assise à mon chevet, sans prononcer un mot.

Dehors le vent faisait gémir les marronniers de la place. Je n'osais rien dire ; j'écoutais le vent.

Il n'y eut pas d'explication par la suite, entre grand-mère Saturnine et moi, qui pût me donner le sens de cette soirée. Pour moi, la conduite de grand-mère obéissait toujours à des raisons sacrées. On ne l'interrogeait pas ; on la contemplait. Il suffisait qu'on se sentît aimé, compris, guidé, protégé. On l'était souverainement. Ce qui frappait, dans cette femme calme et secrètement tendre, c'était l'esprit de souve-raineté. Aussi qu'elle eût pleuré, quel trouble ! pleuré comme les enfants ! devant moi !... Mais ces larmes ne l'avaient point déparée, loin de là. Par un effet singulier, tout à coup, à mes yeux, elle avait rajeuni, jusqu'à me laisser entrevoir, derrière les prestiges de sa paisible vieillesse, l'ombre de la belle jeune fille qu'elle avait dû être jadis, au temps des peines vives et des grands mouvements vers le bonheur.

Nous arrivâmes à Peïrouré, le 15 juillet, jour de la Saint-Henri, vers cinq heures du soir. La Péguinotte se tenait sur le seuil de la porte. Elle m'embrassa. Anselme sortit de sa bergerie. La maison me parut triste. Je ne voyais pas Hyacinthe.

Il faisait beau, un temps chaud et voilé, qui sentait l'odeur de la campagne : la paille sèche, le figuier, l'étable et le lavandin.

La maison, elle, sentait le moisi. Grand-mère en fit la remarque et ordonna d'aérer toutes les pièces, ordre que la Péguinotte exécuta à contrecœur, à cause des mouches.

Mais je ne l'entendis pas grommeler. Elle obéit.

Grand-mère m'installa dans ma chambre. Elle rangea mes effets, ouvrit les placards, souleva les rideaux, puis me prenant par la main, elle me conduisit chez elle. On ne voulait pas me laisser seul.

Grand-père, comme une âme en peine, errait d'une pièce à l'autre.

A six heures le fermier se fit annoncer et grand-mère dut m'abandonner. Elle appela grand-père ; mais grand-père ne répondit pas.

— Il est sorti, madame, dit la Péguinotte.

— Sorti ? fit grand-mère étonnée. Où peut-il être, à cette heure ?...

Je restai seul avec la Péguinotte. Elle ne m'accorda aucune attention. Penchée sur son fourneau, elle paraissait entièrement occupée par sa cuisine. Je m'assis dans mon coin et j'attendis.

Au bout d'un moment elle soupira.

— Où est Hyacinthe ? lui demandai-je.

Elle se pencha encore plus bas sur le feu et se mit à le remuer à grand fracas avec son pic de fer.

Le feu ronfla très fort. Elle grogna :

— Ça vous pique les yeux cette sale fumée !...

Comme elle s'obstinait à me tourner le dos, je sortis de la cuisine à la recherche d'Hyacinthe. Je ne pus pas interroger Anselme, qui était déjà parti avec son troupeau. L'été, on fait paître les moutons pendant la nuit, parce qu'alors l'herbe est meilleure. C'est pourquoi, à la fin du jour, on rencontre par les chemins tant de petits troupeaux qui se dirigent vers les collines. En pleine nuit, très tard, on entend quelquefois leurs clarines tinter, au loin, du côté de Haute-Silve ou de Belles-Tuiles. Pendant ce temps, le village dort.

N'ayant pu trouver Anselme, j'allai jusqu'au bout du jardin, sous les cerisiers. Ensuite je m'assis un moment sous le cyprès Pantaléon. J'avais l'impression d'une solitude. Je me levai, décidé à pousser jusqu'à Noir-Asile. Noir-Asile était vide. J'y entrai en rampant, mais je n'y découvris rien, sauf un petit gobelet d'étain et une assiette ébréchée.

Je revins vers la maison et montai aux mansardes.

Je connaissais la porte : c'était celle qui s'ouvrait juste à côté du grenier.

Je m'arrêtai là et j'écoutai. On n'entendait rien. Mon cœur battait à rompre. J'appelai :

— Hyacinthe !

Très doucement contre la rainure.

Mais je savais qu'on ne me répondrait pas. Depuis mon retour de Noir-Asile, je le savais.

J'entrai.

On avait replié le lit et on l'avait poussé dans un coin. D'Hyacinthe il ne restait, dans cette chambre, que le pot de grès où elle mettait ses fleurs.

Il était encore sur la tablette de la lucarne.

Je sortis de la chambre. A quoi bon interroger grand-mère, Anselme ou la Péguinotte ? Personne ne me répondrait.

Je quittai la maison et, une fois dans la rue, je me dirigeai du côté de la campagne. J'allai à la rencontre de grand-père.

Je le rencontrai deux cents mètres plus loin. Il revenait lentement. Il me sourit. Je lui pris la main et nous rentrâmes sans dire un mot.

Grand-mère nous vit revenir ensemble.

— Je l'ai trouvé à dix mètres de la maison, lui dit grand-père, il cueillait des figues.

Grand-mère Saturnine le regarda et il détourna les yeux.

A dîner, grand-mère parla de la ferme. On ne tarda guère à se coucher.

Grand-mère vint elle-même me mettre au lit et, comme elle s'attardait dans ma chambre, je fis semblant de m'endormir, afin d'être seul le plus tôt possible, pour pleurer.

Elle partit sur la pointe des pieds et, avant de sortir s'arrêta, hésitante, pour me regarder encore une fois, puis elle referma silencieusement la porte.

Mais quand je fus seul je ne pleurai pas. Je n'avais pas de larmes.

Je restai dans le noir, immobile, à écouter le craquement des boiseries et le doux mouvement des tuiles qui, par moments, remuaient un peu sur le grenier.

A quatre heures Anselme rentra avec le troupeau. L'odeur des moutons monta jusque dans ma chambre. On entendait le piétinement des bêtes, et parfois une clochette de bronze. Le chien grognait tout bas et soufflait d'indignation aux pattes des retardataires. Anselme lui parla doucement. Peu à peu le bruit s'apaisa du côté de la bergerie. Quelques bêlements d'agneaux, puis tout se tut.

Au bout d'un moment je m'endormis.

Pendant trois jours je ne voulus pas sortir de la maison. Je m'y refusai avec une telle obstination que grand-mère en conçut de l'inquiétude.

— Constantin, me dit-elle, je vais faire quelques visites ; tu m'accompagneras ; va t'habiller proprement.

Je dus obéir.

Les quelques visites ne m'apportèrent aucun soulagement. De vieilles dames me tripotèrent les joues et me trouvèrent « pâlot ». J'étais surtout renfrogné et le leur fis bien voir. Grand-mère en parut contrariée.

— Maintenant, affirma-t-elle, il faut que tu ailles saluer ton ancien maître, monsieur Chamarote. Tu lui as de grandes obligations. C'est un devoir.

Je ne la reconnaissais pas. Il semblait qu'elle forçât sa nature.

Nous arrivâmes chez M. Chamarote. Comme c'était un jeudi, nous le trouvâmes dans sa demeure. Il se tenait, assis dans la cuisine, devant un petit carnet rose où il collait des timbres.

— Ce sont des timbres-primes, nous expliqua-t-il. Quand on en a cinq cents, Mme Ragachut, l'épicière, vous donne, gratuitement, soit un ustensile de cuisine, soit même un objet d'art, à votre choix. Depuis quatre ans que ce système fonctionne, j'ai déjà obtenu un canard en étain qui me sert de salière (il a le dos creusé avec par-dessus un petit couvercle), deux casseroles en aluminium et le buste de Don Quichotte, très réussi.

Il souriait.

— Une petite collection, ajouta-t-il.

Nous passâmes dans la salle à manger pour y admirer le canard et Don Quichotte.

M. Chamarote nous fit asseoir. Visiblement il ne savait plus que dire. Il crut bon toutefois de parler :

— J'ai beaucoup regretté, chère madame Gloriot, de n'avoir pas pu vous saluer, cet hiver, quand vous êtes venue à l'occasion de la maladie de votre petite servante. Mais je l'ai appris trop tard.

Grand-mère se leva brusquement.

— Monsieur Chamarote, coupa-t-elle, voici Constantin. Il vous a fait quelque honneur, je crois, depuis qu'il est entré au collège. Nous venons pour vous remercier.

— Au collège, au collège... grommela M. Chamarote, et il hochait la tête.

Déjà nous partions.

Il nous accompagna jusqu'à la porte.

— Je parie, me dit-il, au moment de nous séparer, qu'ils t'ont laissé oublier ton système métrique...

Il réfléchit. Je compris qu'il allait me poser une question.

— Voyons, me demanda-t-il, quelle différence fais-tu entre un stère et un mètre cube ?

Je baissai la tête. Il avait gagné son pari.

— J'en étais sûr, murmura-t-il.

Grand-mère soupira et regarda sans douceur M. Chamarote qui haussait les épaules d'un air sincèrement affligé.

Nous prîmes poliment congé.

Quand nous fûmes seuls, je me rapprochai de grand-mère.

— Tu sais, lui dis-je, grand-mère, un stère et un mètre cube, c'est la même chose, ça sert à mesurer le bois ; seulement il y en a plus dans l'un que dans l'autre, à cause des fentes entre les bûches...

— Ma fois, me répondit-elle, tu es bien savant. Moi, je n'aurais pas su quoi répondre.

Elle riait.

Elle négligea de me demander pour quelle raison j'avais gardé le silence et je crus superflu de la lui expliquer.

Nous marchions à grands pas et nous étions contents l'un de l'autre.

Mais ce contentement disparut aussitôt que, rentré à la maison et livré de nouveau à moi-même, je retrouvai les aspects de ma solitude. Car la maison restait vide et c'est pourquoi, sans doute, je n'avais plus envie d'en sortir. Je m'y attachais parce qu'il y manquait quelqu'un. Combien rares pourtant, brefs et peu aimables, mes rapports avec cette pauvre fille que je ne retrouvais nulle part et dont personne ne voulait me parler. Cependant sans elle la maison n'était plus la maison. Non seulement pour moi, mais aussi pour la Péguinotte, pour Anselme, pour mes grands-parents. Ils paraissaient préoccupés, tristes ; ils se montraient par moments désagréables et, plus ou moins, je les devinais tous les quatre malheureux.

Chaque fois que je songeais à Noir-Asile, ou bien à la mansarde avec son lit poussé dans le coin, l'angoisse me serrait. Je continuais à errer de la terrasse au cyprès Pantaléon, désœuvré, l'esprit à la dérive, ne sachant plus à quoi me résoudre.

Le vendredi matin, je surpris une conversation entre grand-mère Saturnine et la Péguinotte.

— Elle a commencé à se languir après votre départ, madame. Et toujours fourrée dans sa cabane de chiens...

— Il fallait l'occuper un peu...

— L'occuper !... mais elle n'entendait plus rien.

Satan lui avait ravi les oreilles. Vous l'appeliez, et,
tout d'un coup elle regardait voler les rates-penades…

— Pourtant jusque-là, elle s'était montrée douce,
obéissante, sage, voyons !

— C'est ça, rétorquait la Péguinotte, douce, obéissante, sage : en somme elle ne disait jamais rien. Sauf
votre respect, madame, si vous appelez ça de la
sagesse…

Et puis elle ajoutait, têtue :

> *Celui qui garde tous ses mots*
> *Sera la source de nos maux.*

Voilà la vérité pure.

Grand-mère l'interrompit.

— L'abbé Chichambre est rentré, hier soir. Il m'a
fait annoncer qu'il viendrait cet après-midi. Vous
tâcherez de garder un moment le petit près de vous,
pendant que l'abbé me parlera.

— Le petit, le petit ! gémit la Péguinotte ! Encore
un qui n'a plus de sang dans la langue. Lui si curieux !
Je l'aimais !… Maintenant !… Pour moi, on leur a
donné la maladie !… Et c'est l'âne ! Madame ! Parfaitement cet âne en pantalons, cet âne fadé ! Ah !
misère !…

Quand vint l'abbé, la Péguinotte eut beau me
chercher partout ; depuis longtemps j'étais à l'abri.
Elle n'eut pas l'idée de me dénicher dans la mansarde.
Bientôt je jugeai que, fatiguée, elle avait renoncé à me
découvrir. Alors, je descendis à pas de loup et allai me
blottir sous la vigne vierge qui ombrage les fenêtres de
la sallestre.

Grand-mère Saturnine était en train d'y recevoir
l'abbé Chichambre.

J'écoutai.

Grand-mère parlait bas, mais avec un peu d'irritation :

— Tout le mal est venu de cet homme. C'était un fou.

— C'est beaucoup dire, répondit l'abbé.

— Vous auriez dû nous avertir...

— De quoi, ma vieille amie ?... De sa folie ? Je n'y crois pas encore.

Grand-mère poussa un ho ! scandalisé.

— Voyons l'abbé, soyez franc, vous nous cachez quelque chose...

Pour une fois, c'était l'abbé qui se trouvait à confesse.

— Où l'avez-vous connu ?

L'abbé ne répondit rien. Grand-mère continua, obstiné :

— Vous l'avez connu aux colonies, du temps que vous étiez aumônier, là-bas... je le sais... Vous ne pouvez pas l'avoir connu ailleurs... On rencontre toute espèce de gens dans ces pays...

L'abbé dit doucement :

— Il n'était pas de la pire espèce...

Grand-mère s'écria :

— Un fou ! Qu'est-ce qu'il vous faut ?

Il y eut un silence. L'abbé devait réfléchir. A la fin, il demanda :

— En somme, qu'avez-vous à lui reprocher ?

La question parut embarrasser grand-mère :

— Vous avez vu dans quel état était Constantin ? Et après Contantin, la petite ?...

L'abbé laissa tomber cette question.

— Écoutez, ma vieille amie, je veux bien vous donner quelques clartés... d'ailleurs peu de chose... Mais davantage, me serait impossible...

Il se tut, puis ajouta :

— Du moment que l'homme est parti... et Dieu sait où ?...

Il s'arrêta encore, sans doute parce qu'il lui était désagréable de parler.

Il le fit cependant d'une voix sourde :

— Oui, je l'ai connu là-bas, comme vous dites... Une première fois à...

Il cita un nom que j'ai oublié.

— ... Il commandait un brick, un brick à lui... Il avait cependant un associé... Un drôle de corps aussi !... Il courait des bruits sur leur compte... On exagère souvent... Vous savez ce que ça vaut, les bruits... Admettons qu'ils aient fait un peu de contre-bande. Et un équipage de mauvais garçons. Voilà... J'avoue que ce ne sont pas de bonnes références... Moi je ne le connaissais que par ouï-dire et ce que j'en avais appris ne me laissait guère prévoir qu'un jour il viendrait me rendre visite... Eh bien, c'est cependant ce qu'il a fait... Un soir, j'étais dans l'église, seul, après le Rosaire. Il est entré. Je tournais le dos à la porte, j'étais en train d'éteindre les cierges du maître-autel. Il s'est arrêté derrière la balustrade. J'avais entendu son pas et je me suis retourné. Alors il m'a dit : « Monsieur l'abbé, j'ai découvert le Paradis terrestre... »

Grand-mère ne soufflait mot. Maintenant on eût dit que l'abbé se parlait à lui-même :

— Il faisait sombre dans l'église et je distinguais mal l'homme qui venait de prononcer cette phrase extraordinaire. Il devina mon étonnement (il y avait de quoi...), et il ajouta :

— Vous me connaissez peut-être de nom. Je suis un tel.

Il restait un cierge allumé ; mais par hasard je me tenais devant et sa flamme n'éclairait pas l'homme. Je me déplaçai. Alors la clarté frappa sa figure. Des traits rudes et deux yeux clairs comme de l'eau. L'homme dit :

— Je vous étonne, monsieur l'abbé, et vous devez me prendre pour un fou.

Il ne se trompait guère. Il le comprit et ajouta avec une violence contenue :

— Eh bien, non ! je ne suis pas un fou ! et cette découverte, je l'ai faite.

Je lui répondis aussi doucement que je le pus ; mais il sentait mon incrédulité.

— Vous ne me croyez pas, dit-il. Après tout, je ne puis guère vous en vouloir. C'est naturel. Eh bien si, au cours d'une tournée, vous dénichez (et ce sera bigrement difficile) plus loin que l'archipel de K..., plein sud, à 800 milles, un îlot qui n'a pas de nom, parce que personne, du moins que je sache, sauf moi, n'y a jeté l'ancre, c'est là. Vous m'y trouverez. Adieu !

Et il partit. J'éteignis mon cierge et je pensai à autre chose.

L'abbé reprit haleine, grand-mère se taisait. L'abbé continua :

— Je n'ai jamais déniché l'îlot et par conséquent je ne connais pas le Paradis terrestre... Mais cinq ans plus tard, j'ai retrouvé l'homme. Je faisais en effet une tournée dans l'archipel de K... On vint m'avertir à bord qu'un blanc, malade, dans une case d'indigènes, désirait me voir. J'y allai. Je n'eus pas de peine à reconnaître mon étrange visiteur : une fois qu'on a vu sa figure, on ne l'oublie pas. Une crise de fièvre le faisait un peu délirer par moments. Il ne me laissa pas le temps de parler ; tout de suite il me rappela notre entrevue :

— Ah ! le Paradis ! m'écriai-je.

— Le Paradis ! il n'existe plus, me dit-il. Les blancs y ont finalement abordé. Tout y est mort, et j'ai dû m'enfuir, moi aussi, mais je le garde en moi, ce

Paradis ; j'en conserve la force, j'en connais le secret, j'emporte le pouvoir de le faire renaître, partout où je le voudrai, même là-bas, en Occident, dans les jardins barbares.

Il avait de la température ; je le soignai. Comme je devais continuer ma route, je lui proposai de l'emmener jusqu'à Soumbava où nous allions. Il refusa de me suivre, mais il me demanda comment il pourrait me retrouver, le jour qu'il en aurait le désir. Je le lui indiquai. Ce n'était pas difficile ; ce l'était moins que d'aborder au Paradis terrestre. Enfin je le quittai. A bord, je racontai mon histoire. On ne connaissait pas l'homme. Mais le commandant avait entendu parler de l'île.

— Des blancs se sont chargés, en effet, d'y faire table rase, nous dit-il. Il paraît qu'elle était habitée par une tribu de charmeurs de bêtes. On m'a donné de singuliers détails sur le pouvoir de ces gens-là. Cela tenait du prodige. Du reste, peu nombreux et inoffensifs. Aussi n'a-t-on pas eu de peine à s'en débarrasser. Je me demande si l'on trouverait encore un seul être vivant dans toute l'île... Peut-être, à l'intérieur, quelques rescapés, mais c'est peu probable.

Il n'en savait pas davantage. Quant à moi, je n'entendis plus parler de l'homme...

L'abbé s'arrêta encore. Grand-mère toussota. Il reprit :

— Il y a deux ans, je reçus une lettre. Elle me stupéfia. C'était lui : il m'écrivait ! Tout d'abord, moi aussi, je le crus fou ; mais cette obstination à s'attacher à moi et le rappel qu'il faisait de son étrange histoire, m'inclinèrent ensuite à penser qu'il y avait là quelque chose de moins (ou de plus) que la folie. Ayant découvert ma retraite, il m'annonçait son arrivée ; il achetait aussi une petite bicoque, Belles-Tuiles, près de Peïrouré. Là il espérait retrouver comme un souvenir de ce jardin enchanté des pays exotiques où il avait vécu si heureux. Je la connaissais bien, sa bicoque, Belles-Tuiles : quatre murs et tout autour des rocs, des ronces. Terriblement sec et maigre, ce Paradis. Je me dis qu'il allait déchanter. Il vint, s'installa à Belles-Tuiles et tout de suite il se montra satisfait de la maison et du site. Son installation fut entourée de quelque mystère. Le bagage arriva de nuit et il comptait, dit-on, plus d'un colis bizarre. Par ailleurs, mes relations avec l'homme (il se faisait appeler M. Cyprien, vous le savez) furent et, jusqu'à la fin, sont restées excellentes. Il descendait rarement au village et, s'il venait quelquefois me visiter, il le faisait toujours, en grand secret, à la nuit bien close. De lui, en somme à Peïrouré, on ne connaissait guère que son fameux âne...

Grand-mère soupira, mais l'abbé n'y prit point garde :

Je montai à Belles-Tuiles, en septembre, deux mois après l'arrivée de M. Cyprien...

Je le trouvai assis devant sa porte, et l'air parfaitement heureux. La maison reblanchie, propre, en ordre, déjà n'était plus reconnaissable ; mais les alentours restaient sauvages et arides.

— Ça manque d'arbres, votre jardin, lui fis-je remarquer, non sans un peu de malice, je l'avoue.

Il hocha la tête, regarda au loin et me dit :

— Vous verrez dans un an... Nous aurons le plus beau verger du monde.

Évidemment, il était un peu fou.

— Vous savez, lui dis-je, dans nos pays secs, les arbres ne poussent pas vite ; ça n'est pas comme là-bas... Il faut de l'eau...

— Il y a de l'eau, me répondit-il.

Et il ajouta gravement :

— Seulement il faut savoir la trouver.

Il se leva et m'emmena derrière la maison, dans un petit vallon entièrement clos par une muraille de rochers.

— Ici, me dit-il, je vais avoir deux rangs de pêchers ; les cerisiers prospéreront fort bien contre cette paroi ; voici le coin des pruniers ; et tout autour, je vois des amandiers, avec leurs têtes en fleur, comme au Paradis...

Pour le moment, le sol, dans un humus maigre, n'accueillait qu'un peu de lavandes et quelques genévriers rabougris.

Je hochai la tête ; il s'en aperçut :

— Vous ne croyez pas au Paradis sur terre ? me demanda-t-il tout à coup.

Je ne voulais pas le contrarier et je lui fis une réponse évasive.

— Le Paradis avec toutes ses fleurs, continua-t-il, obstiné, et toutes les bêtes apprivoisées ?

Je me gardai bien de l'interrompre. Mais il se tut de lui-même. La fin de sa phrase évoqua en moi le souvenir que vous savez.

— Car je les apprivoiserai, ajouta-t-il soudain, comme les arbres, comme les plantes, et elles viendront autour de mon jardin, toutes. Je connais les secrets.

Alors je ne pus m'empêcher de lui dire :

— Souvenez-vous qu'il y a eu jadis un Paradis sur terre. Ses habitants l'ont perdu pour avoir commis un grave péché.

— Je ne désobéis à personne, me répondit-il.

— Je le crois, répliquai-je ; mais il arrive un jour où l'on peut céder à l'orgueil.

J'étais, je ne sais trop pourquoi, un peu mécontent. Il s'en rendit compte :

— Vous croyez donc enfin à mon secret, s'écria-t-il avec une extraordinaire expression de plaisir qui m'inquiéta.

— Je crois en Dieu, lui dis-je, comme un vieux curé de campagne, tout simplement ; un curé qui aime les croyances droites.

Il ne m'entendit pas.

— Mon secret, murmura-t-il, avec une sorte d'innocence, je n'en userai que pour la beauté de vie.

Je me levai. Il m'accompagna un bout de chemin. Ce diable d'homme avait fini par me troubler. Je ne le revis pas de plusieurs mois. Mais voilà qu'un matin, de très bonne heure, j'entends du bruit devant ma porte, je me lève et que vois-je ? L'âne, ma bonne amie, l'âne avec deux pleins couffins de fleurs sauvages et par-dessus une branche d'amandier, frêle encore, mais déjà couverte de pousses tendres et de petites fleurs à peine ouvertes. Le message disait : « Pour l'autel de la Vierge, le premier rameau du Paradis. » Je ne suis pas superstitieux. Je posai ce rameau sur l'autel de la Vierge et quelques jours après je montai à Belles-Tuiles. Le miracle prédit s'épanouissait là devant mes yeux ; un grand verger, et toutes les fleurs du printemps sur les arbres. L'homme souriait gentiment, sans orgueil, et je me rendis compte alors que, dans ma vieille soutane noire, je devais lui paraître bien triste à regarder au milieu du jardin qu'il avait fait surgir merveilleusement de la terre infertile, et qui était si tiède, et qui sentait si bon, ce matin-là.

Je me laissais aller, je l'avoue, à la béatitude qui s'en exhalait, lorsque le vieux me dit à voix basse :

— Les bêtes commencent à s'approcher ; elles s'apprivoisent.

Ce ton confidentiel, je ne sais pourquoi, me donna soudain une étrange inquiétude.

Elle s'accrut lorsque l'homme ajouta, plus bas encore :

— Il n'y en a qu'une qui se refuse. Je la sens hostile... Mais elle y viendra, elle aussi...

Son œil s'était durci et il affirma aussitôt avec une sorte de passion :

— Il le faut. Tout doit obéir. Sinon, le jardin lui-même sécherait sur pied et il sortirait de la vie.

Je partis et ne remontai plus à Belles-Tuiles. Mais, M. Cyprien, lui, vint me voir. A peu près tous les mois, j'avais sa visite nocturne et, pour chaque grande fête, il envoyait des couffins de fleurs. Je ne les ai jamais refusées. J'avais l'impression que, du haut de son ermitage, il surveillait attentivement l'arrivée des solennités religieuses dans la paroisse et qu'il avait le grand souci de n'en pas laisser passer une, sans l'honorer. Il aimait Dieu.

Mais cet amour lui-même continuait à m'inquiéter sourdement. Je n'avais point tort, vous le savez. Cela devait mal finir et je crois bien que les choses se sont passées un peu comme je le redoutais. Un mouvement d'orgueil et tout s'est écroulé. Mais qu'est-il arrivé au juste ? Là-dessus, je n'en sais pas plus long que vous. J'ai bien bâti quelques suppositions. Je n'ose pas vous en faire part. Vous me jugeriez, moi aussi, un peu fou. Il reste l'aventure des deux enfants et surtout la dernière, celle de la petite.

L'abbé Chichambre s'arrêta de parler. Au bout d'un moment grand-mère lui demanda :

— Je voudrais être sûre que, là aussi, vous ne me cachez plus rien, mon ami.

— Que vous cacherais-je ? répondit tranquillement l'abbé Chichambre. Quand Claudia est venue, affo-lée, au presbytère, nous annoncer que la petite avait disparu, j'ai aussitôt pensé à Belles-Tuiles, et à Constantin.

— Mais l'homme était déjà parti...

— Sans doute ! Et encore, était-ce bien sûr ?

En tout cas nous l'avons retrouvée là-haut, blottie dans la grotte, grelottante. En somme, grâce à Dieu, elle s'en est tirée à bon compte...

Une pneumonie, ça ne pardonne pas toujours...

— En tout cas elle est vivante ! dit grand-mère Saturnine.

Je me levai, derrière la vigne.

J'étais fou de joie. Ainsi elle n'était pas morte. Je courus à la porte de la sallestre, je la poussai, je me dressai devant l'abbé, devant grand-mère, stupéfaits...

Et puis brusquement, épouvanté par ma démarche, je m'arrêtai au milieu de la pièce sombre ne sachant que dire, et je fondis en larmes.

L'abbé se leva vivement, se pencha vers moi. Jamais je ne l'avais vu si grand.

Sa figure était rude, coupée de rides noires. Lui aussi, il me regardait. Il avait de petits yeux gris, vifs, perçants. Il me demanda :

— Que veux-tu, Constantin ? Tu écoutais ?

Je lui répondis dans un sanglot :

— La bête, c'était le renard ! Oui, celle qui ne voulait pas venir. On l'a tuée. Je l'ai vue, je l'ai vue, la nuit de Haute-Silve !

Grand-mère s'était approchée. Je me tournai vers elle. Son beau visage calme reflétait comme une terreur.

J'en fus bouleversé :

— Grand-mère, m'écriai-je, grand-mère, dites-moi où est Hyacinthe !

L'abbé me prit dans ses bras.

Hyacinthe reparut trois jours plus tard. Je la rencontrai à l'improviste, au bas de l'escalier. Je m'arrêtai, interdit. En me voyant elle parut surprise, elle aussi, et désorientée. Elle avait grandi. Ses cheveux pendaient sur ses épaules. Cependant c'était bien elle, mais des joues plus maigres, le teint moins lisse et deux grands yeux clairs qui vivaient.

Ne sachant que lui dire, je baissai la tête, d'un air boudeur.

— Tu es fâché, Constantin ? me dit-elle.

Même sa voix avait changé. Elle me toucha si profondément que je ne sus que répondre. Mais Hyacinthe ne parut pas s'en apercevoir.

Elle continua :

— On m'a gardée au lit, pendant deux mois. J'ai été bien malade. Tu le savais ?...

Elle aussi maintenant baissait la tête.

— Madame Saturnine est venue pour me soigner. Après on m'a envoyée chez tes cousins Jorrier, à Costebelle.

Elle se tut un instant, puis m'avoua :

— J'ai bien pensé me sauver, comme toi, mais j'ai eu peur... Et puis, ils étaient si bons, tes cousins Jorrier...

Elle s'arrêta, hésitante.

— Et puis quoi encore ? lui demandai-je.

Elle leva les yeux et me regarda.

— Laisse-moi passer, Constantin, me dit-elle ; il faut que je monte jusque dans ma chambre pour l'arranger un peu.

Je ne bougeai pas. Elle non plus. Ni l'un, ni l'autre, nous n'osions changer de place.

L'escalier était un peu sombre et je me souviens (c'était le matin) qu'il y régnait une fraîcheur, une paix, un silence, troublés seulement par le bruit de la petite fontaine du lavoir qui coulait au fond du jardin, et par l'odeur d'un feu de bois, venant sans doute de la cuisine. Cette quiétude, l'air de l'été et l'esprit matinal de la maison, créaient autour de nous un bien-être à la fois rustique et tendre, d'où je ne pouvais plus me détacher.

Alors je demandai à Hyacinthe, si, depuis son retour, elle était revenue à Noir-Asile.

Elle me dit que non.

— Et tu y reviendras ? lui demandai-je.

Elle prit un air indifférent :

— Je ne sais pas. Ce sont des bêtises...

Cette réponse me serra le cœur. J'eus honte d'avoir parlé étourdiment de Noir-Asile et je retrouvai aussitôt mon humeur bourrue.

Comme Hyacinthe faisait mine de vouloir monter dans sa chambre, je la laissai passer, sans dire un mot.

Pendant huit jours je fus très malheureux. Hyacinthe et moi, nous évitions de nous rencontrer.

La Péguinotte n'était plus autorisée à se servir de la petite fille et elle semblait prendre aimablement son parti de cette privation. La Péguinotte avait bon cœur. Ce n'étaient que jus de viande, œufs à la coque, bouillons de poule, pour la convalescente. La cuisine embaumait les bonnes herbes.

Grand-père Saturnin, qui avait l'odorat subtil, à respirer ces merveilleux parfums, retrouvait peu à peu cet air de bonheur qui était indispensable à la bonne économie du ménage. Sans lui, en effet, grand-mère Saturnine perdait force, entrain, gaîté, en somme les trois quarts de son incomparable génie. Et alors tout périclitait. L'influence de grand-père Saturnin était souveraine. A grand-mère revenait quotidiennement le soin de prévoir, d'organiser, de conduire, de réparer et même de sauver, au besoin, les choses et les êtres. Elle confessait volontiers que ses attributions

n'impliquaient que des tâches vulgaires. Mais elle ne
s'en plaignait pas, loin de là.

— Ma part est admirable, disait-elle. C'est celle qui
revient naturellement à la femme. Aucun homme ne
saurait y réussir comme nous. Mais sans un homme,
près de nous, ce labeur n'aurait plus aucune raison
d'être. Il y faut sa présence. Il suffit d'ailleurs qu'il
soit là et qu'il se sente heureux. Alors tout prospère.

Aussi grand-père Saturnin avait-il été placé en
quelque sorte au-dessus des travaux et des peines
domestiques. Sa fonction, purement spirituelle,
consistait à nous offrir le spectacle du bonheur. Il n'y
manquait guère. Dans ce monde si bien organisé par
grand-mère Saturnine, il ne gouvernait pas ; il donnait
au gouvernement le secours d'une âme innocente.
Chacun sait que, sans ce secours, nul ne saurait bien
gouverner. Il n'arrivait jamais qu'on lui demandât
conseil. Mais on se demandait toujours, à soi-même,
quelle ombre jetterait sur sa candeur, tel projet, tel
geste, telle démarche, envisagés en dehors de lui, dans
l'intérêt de notre vie. Et jamais on n'accomplissait
geste, projet, démarche, sans avoir au préalable acquis
la certitude qu'il n'en serait pas offusqué. Car on ne
lui cachait rien, tant par honnêteté que par prudence.

Grand-mère Saturnine jugeait, en effet, que nulle
puissance au monde ne pouvait lui marquer, en signes
plus certains, la vérité ou l'erreur de ses entreprises,
comme le faisait une simple expression de joie ou de
tristesse répandue, à leur occasion, sur la figure de ce
bon vieillard. Car il ne lui vint jamais à l'esprit que
grand-père Saturnin pût feindre, fût-ce par bonté,
l'un ou l'autre de ces sentiments.

— Une âme pareille n'a rien à cacher, disait-elle.
Du reste elle ne saurait pas...

Grand-mère Saturnine se trompait.

Hyacinthe était devenue un esprit invisible. Elle

n'apparaissait, par miracle, que pour disparaître, non moins merveilleusement, aussitôt ; et ces disparitions m'irritaient. Pendant quatre ou cinq jours je rôdai à travers la maison, dont je connaissais bien les moindres recoins, dans l'espoir de tomber sur elle à l'improviste, pour lui faire peur. En vain.

De guerre lasse, je me rabattis sur le jardin et, dépassant le cyprès Pantaléon, je n'hésitai pas à pénétrer sur le territoire d'Hyacinthe. Mais je ne l'y trouvai point. Tout y marquait un abandon qui me serra le cœur. Désœuvré, j'errais, l'âme en peine, des cerisiers aux prunes et des fraisiers aux vignes vierges.

Noir-Asile, malgré son air de solitude, m'attirait, tant par le secret de son site caché derrière d'énormes buissons de genêts d'or, que par je ne sais quel charme encore humain. Resté seul dans le grand jardin, je ne tardai pas à sentir l'attrait de cette cabane de chiens qui, pendant si longtemps, avait abrité les mystérieux conciliabules d'Hyacinthe avec elle-même. Après l'étrange, l'inoubliable Belles-Tuiles, c'était pour moi l'un des plus graves habitats de l'enfance.

J'y revenais plus souvent, et je m'y attardais des heures entières, sans pourtant y entrer. Mais, adossé à ses parois de planches, assis dans l'herbe sèche qui sentait le feu de l'été, j'y reprenais peu à peu avec la terre tiède ce contact de plaisir et d'angoisse dont le souvenir, depuis lors, n'a cessé de troubler ma vie. Car j'aime la terre.

Et je sentais aussi, mais obscurément, que cette cabane croulante contenait une active puissance de séduction.

On y pouvait attendre. C'était une aire magnétique, un lieu dont l'attrait s'étendait pour le moins jusqu'aux profondeurs de la maison où quelquefois on en parlait.

Si donc il se produisait, dans le quartier des

hommes, le moindre fait étrange, je m'étais persuadé que, par un signe quelconque, Noir-Asile en serait averti.

Et j'attendais.

Je n'avais besoin ni de jeux, ni de livres. Attendre suffisait à occuper tous les loisirs que me laissaient l'été et l'affectueuse bonté de mes grands-parents. Mais à force d'attendre, mon cœur, devenu sensible au moindre indice trahissant quelque vie secrète en cette solitude, battait avec violence, dès que le bruit le plus léger, glissement de lézard, frémissement de feuille, souffle, touchait au silence. Je devins bientôt si nerveux que, si bien caché cependant et si loin des familiers de la maison, je m'imaginais quelquefois que l'on m'épiait. Je me disais : quelqu'un forcément va venir. Je ne l'entendrai pas s'approcher et il me regardera à loisir sans que je le sache.

Cette idée m'effrayait et m'était odieuse.

— Du reste, pensais-je, ici ce n'est pas une vraie cachette, puisque Hyacinthe y est venue.

Au fond de moi, cela voulait dire qu'elle pourrait y revenir encore et, plus profondément, qu'elle allait apparaître d'un moment à l'autre.

Car c'était elle que j'attendais, et je souffrais qu'elle n'eût pas répondu plus tôt à cette attente. Je pressentais que, si Noir-Asile lui était devenu indifférent, du coup se dissipait le charme qui, en l'attachant à ces lieux, l'avait aussi, par d'inconnaissables démarches, associée à mes secrets d'enfant et liée aux puissances obscures. Je l'aimais.

Ce sentiment mal défini, mais fort, m'incita davantage à me cacher. J'abandonnai la cabane et trouvai un refuge d'où, invisible moi-même, je pouvais surveiller les approches de Noir-Asile. Et là, plus calme, mais non moins chargé de désirs et d'espoirs, de nouveau j'attendis.

C'est alors que grand-père Saturnin apparut. Il ne quittait guère la terrasse, sauf le matin et le soir, pour son tour de village. Le potager marquait vers le Nord, la limite de ses excursions. Ce qui lui plaisait, c'était uniquement la vue des collines ; et, de la terrasse sous les micocouliers, on les découvrait dans toute leur douceur. Il n'en demandait pas davantage.

Je ne comprenais pas. Et cependant c'était bien lui. Il s'avançait lentement, l'œil vif, comme s'il eût été en quête de quelque chose.

Il s'arrêta, examina le terrain, fit quelques pas encore et découvrit Noir-Asile. Sa figure s'illumina. C'était Noir-Asile qu'il cherchait.

Il s'en approcha, en fit le tour, se baissa un peu, mais ne parut pas satisfait de son examen.

Je l'entendis qui disait à voix basse :

— C'est trop petit, c'est beaucoup trop petit.

La cabane touchait au mur de clôture. Il y avait là une vieille porte à claire-voie qu'on n'avait plus ouverte, peut-être depuis un demi-siècle. Il y alla, essaya de la pousser, mais elle était fermée à clef.

— Qui sait où on va la trouver ? murmura-t-il.

Il revint, réfléchit, et s'avança jusqu'au buisson sous lequel j'étais tapi.

Il donna un coup de canne là-dedans, pas très loin de ma tête et dit avec satisfaction :

— C'est épais ; ça fera une bonne muraille. Là derrière personne ne le verra.

Il paraissait préoccupé, mais content tout de même. De temps en temps il souriait avec malice.

Enfin, il repartit de son pas délicat et sensé de promeneur professionnel, et, tout en s'en allant, il cueillait des fleurs.

Le soir ni les jours suivants, il ne parla de son extraordinaire démarche. Il était évident que grand-mère l'ignorait. La singularité de cette situation me frappa tellement que j'en vins à négliger un peu, à propos de Noir-Asile, la pensée, jusque-là obsédante, de celle qui avait paré d'une si tendre poésie cette cabane oubliée depuis longtemps dans le fond du jardin. J'observais grand-père Saturnin. Je constatai que, dans ses habitudes toujours pareilles en apparence, de petits changements s'étaient produits. Il était devenu moins contemplatif ; plus souvent sur pied, il semblait prendre au jardin un intérêt nouveau. Plusieurs fois je le surpris en conversation avec Anselme. Ces conciliabules se tenaient, toujours loin de la maison, dans le chemin creux de la Plantade ; et comme grand-père était dur d'oreille, Anselme devait crier pour se faire entendre. J'en profitai, sans nulle honte, et ce que j'appris m'intrigua beaucoup.

— Tu feras ça, la nuit, disait grand-père. Personne ne s'en apercevra…

— Le plus difficile sera de l'amener, répondit Anselme.

— Personne ne s'en apercevra, continua grand-père, qui peut-être n'avait pas entendu. Personne ne va plus par là, pas même la petite. Du reste si on le découvre, qui le reconnaîtra ?… Et puis j'ai une explication toute prête…

Anselme s'éloigna vers son troupeau et grand-père rentra à la maison.

Jusqu'au jeudi suivant rien ne marqua, dans l'attitude de grand-père, qu'un événement nouveau se fût produit.

Le jeudi soir, vers cinq heures, il partit pour sa promenade habituelle. L'itinéraire en était réglé depuis des années.

D'abord il longeait la clôture du jardin. Celle-ci bordait le bon chemin pendant deux cents mètres, puis l'abandonnait. Elle tournait alors à angle droit et repartait à travers champs.

Jamais grand-père ne prenait à travers champs. Arrivé à l'endroit où cessait la clôture, il continuait sa promenade, tout droit devant lui, par le bon chemin, jusqu'aux quartiers du château de la Plantade.

Or ce soir-là, arrivé à l'endroit où cessait la clôture, grand-père prit à travers champs.

Je courus me cacher derrière une haie. Grand-père marcha le long de la clôture, et atteignit la porte qu'il avait vainement essayé d'ouvrir lors de sa première visite à Noir-Asile.

Il tira une clef de sa poche, ouvrit et disparut.

Je courus jusque-là. La porte était fermée.

Je ne m'obstinai pas. Il fallait savoir où se tenait Anselme. J'allai à la Plantade. Anselme y faisait paître ses moutons. Assis sur un rocher, près du chemin, de temps en temps il regardait du côté du village.

— Il attend grand-père, pensai-je.

Sans être vu, je me faufilai sous un buisson, tout près de lui.

Il tenait à la main un objet bizarre : il le tournait et le retournait avec précaution. Cet objet, assez gros, me parut formé de quatre ou cinq roseaux courts reliés entre eux par une large bande de laiton. Ils étaient de longueur inégale.

Grand-père ne tarda pas à arriver.

— Il a l'air satisfait, dit-il. Raconte-moi comment ça s'est passé...

— Oh ! le plus simplement du monde, répondit Anselme. Je l'ai découvert derrière la maison. Quand il m'a vu venir, il s'est sauvé dans le bois. Je l'ai suivi tout doucement pour ne pas l'effrayer. Il m'a mené jusqu'à Pierre-Blanche. Vous vous rappelez Pierre-Blanche ? C'est là qu'en avril j'ai vu le renard égorgé, tout près de l'endroit où on a retrouvé le petit... Arrivé là, il s'est arrêté, juste sous la pierre, et j'ai pu m'approcher de lui. Il s'est laissé faire ; il m'a suivi docilement. D'abord j'étais un peu inquiet... Est-ce qu'il n'allait pas me fausser compagnie ?... Eh bien, non ! Il m'a accompagné jusqu'au bout. Maintenant je crois qu'il est devenu comme les autres...

Grand-père paraissait content. Anselme lui tendit l'objet bizarre qu'il tenait encore à la main.

— Regardez ce que j'ai trouvé à Pierre-Blanche. Vous savez ce que c'est ?...

— C'est un instrument de musique, répondit grand-père. Une espèce de flûte.

— Je l'avais deviné, dit Anselme, et j'ai voulu souffler dedans, mais je n'ai pas osé, c'est drôle...

— Tu n'as pas osé, toi ? s'écria grand-père, étonné.

— Regardez mieux, dit le berger. Vous ne voyez pas ces deux grandes taches noires, sur les deux roseaux du milieu ?

— Si, je les vois. Et puis après ?

— C'est du sang, répondit Anselme.

Les deux hommes se regardèrent. Grand-père rendit l'objet à Anselme qui le fourra dans sa musette.

La nuit tombait. Grand-père se leva et lentement il repartit vers la maison.

Je courus par les raccourcis et y arrivai avant lui. A la maison tout respirait le calme. Grand-mère absente devait se trouver au rosaire. La Péguinotte occupait la cuisine, Hyacinthe demeurait invisible.

J'allai jusqu'au fond du jardin, dépassai le cyprès Pantaléon, et, à pas de loup, m'approchai de la muraille de genêts qui cachait si bien Noir-Asile.

Mais Noir-Asile me surprit. La veille j'y avais laissé une pauvre cabane basse. Maintenant se dressait une petite maison de planches. On avait agrandi, exhaussé, consolidé le vieil abri.

Je me rappelai les ordres de grand-père.

— Anselme aura travaillé, toute la nuit, pensai-je. Mais pour qui ?

Il faisait sombre. A peine un peu de jour dans la clairière. Je m'avançai vers ce peu de jour.

A mon approche, une bête sortit de derrière un énorme buisson.

C'était un âne.

Je n'ai jamais eu peur d'un âne ; toutefois j'eus un sursaut d'étonnement quand j'en vis surgir un en cet endroit.

Comme il restait immobile au centre de la clairière, je m'approchai. Il me flaira.

Alors je l'appelai par son nom. Car c'était lui. Je ne pouvais pas en douter. Mais il ne parut pas me reconnaître. M'ayant flairé de nouveau, il s'éloigna un peu et se mit à brouter avec indifférence.

— Un âne comme tous les autres...

C'étaient les paroles d'Anselme.

Je rentrai à la maison, désespéré.

A minuit on gratta à ma porte, tout doucement. J'allai ouvrir.

— C'est moi, murmura Hyacinthe.

Elle me prit la main.

Je ne la voyais pas, tant il faisait noir. Elle me pria :

— Mets tes sandales...

Je fis ce qu'elle demandait.

— Suis-moi, me dit-elle.

Nous descendîmes au rez-de-chaussée. Dans cette obscurité, elle semblait avancer à coup sûr. Arrivés à la cuisine, elle en ouvrit avec précaution la porte qui ne grinça pas (quelqu'un avait dû fraîchement huiler les gonds).

Nous sortîmes du côté des communs.

Hyacinthe m'entraîna vers le cyprès Pantaléon. Nous nous assîmes. Elle se blottit contre moi.

— J'ai peur, me dit-elle.

Après ce qu'elle venait de faire, je fus surpris. Mais
sa peur me troublait aussi, je lui parlai :

— Tu sais qu'on l'a retrouvé et qu'il est depuis huit
jours à Noir-Asile ?

— Oui, je sais.

Elle posa sa tête contre mon épaule.

— Pourquoi tu y allais, toi, tous les jours, à Noir-
Asile ? me dit-elle.

Je lui demandai .

— Comment le sais-tu ?

Elle n'hésita point :

— Je t'ai vu ; j'étais cachée...

Elle ne bougeait pas.

— Seulement, moi, j'y retournais toutes les nuits...
Elle parlait tout contre mon oreille. C'était un
souffle...

— Cette nuit, j'y suis revenue ; mais j'ai eu peur, il
y avait quelqu'un...

— L'âne...

— Non, pas l'âne. Quelqu'un, peut-être un
homme... Je l'ai entendu qui marchait. Il est arrivé par
la porte, celle qui donne sur les champs ; et il s'est
avancé vers la cabane...

— Tu l'as vu ?

— Non ! J'ai caché ma tête dans l'herbe ; j'étais
morte de peur...

— Il y a longtemps de ça ?

— Une demi-heure. Alors je suis venue te chercher.

Elle se tut.

Au bout d'un moment elle dit :

— Il faut savoir qui c'est. Tu as peur, toi ?

J'eus honte de mentir.

— Oui, j'ai peur.

— Ça ne fait rien, murmura-t-elle. Quand un

garçon a peur, c'est une autre chose... Je t'accompagnerai...

Le ciel accueillait des millions d'étoiles. Touchés
par la tiédeur de la terre, ces astres lointains n'accor-
daient qu'une faible lumière.

Nous nous levâmes. Maintenant nous avancions
sans parler. La main dans la main, haletants mais
résolus, dévorés de peur et de curiosité, nous nous
dirigions vers Noir-Asile. Nous y arrivâmes sans
encombre.

Tout y était tranquille. Pas d'âne. Pas de visiteur.

Nous nous allongeâmes dans les hautes touffes
d'herbe, derrière un genêt.

Nous nous taisions.

A part le chant universel des grillons et quelquefois
une petite chouette qui gémissait du côté de la
Plantade, pas un bruit...

Soudain la main d'Hyacinthe se crispa.

— Écoute !...

On entendait comme un murmure du côté de la
porte. Des voix étouffées, des voix d'hommes. Nous
n'osions bouger.

D'ailleurs les voix se turent, et quelqu'un s'approcha de notre refuge. On y voyait bien mal ; cependant
je crus reconnaître Anselme. Il passa devant Noir-
Asile et sans s'y arrêter il se retira du côté de la
bergerie.

Aussitôt nous sortîmes de notre cachette pour
courir vers la porte. Elle était fermée à clef. A travers
la claire-voie on découvrait l'immense étendue du
champ, légèrement creusé au centre en forme de
cuvette, mais sans un buisson, sans un arbre.

Au milieu de cette étendue, nous vîmes une ombre
qui s'éloignait rapidement.

Nous restâmes là un moment devant la porte. La
haie embaumait, et de petites grenouilles rassurées par

la simplicité de la nuit, quelquefois se parlaient, dans le fossé qui bordait l'enclos.

On ne voyait pas la montagne, mais l'odeur de pierre et de plante qu'elle exhalait arrivait jusqu'à nous par-dessus cette haie si douce à respirer à ce moment de la nuit.

— Demain, me murmura Hyacinthe, il faudra que nous montions, tous les deux, à Belles-Tuiles. Je viendrai te chercher.

Quoiqu'elle se tînt serrée contre moi, je ne distinguais pas les traits de son visage. A peine une blancheur. Mais elle sentait l'herbe sèche, le genêt et le jeune sang.

— Constantin, me dit-elle, je n'ai plus peur... rentrons...

Nous revînmes sans incident à la maison.

Je tombai d'un coup dans le plus noir sommeil.

C'est au-delà du pont de la Gayolle, dans le bois de chênes, qu'Hyacinthe me rejoignit, le lendemain, vers deux heures de l'après-midi.

— Je suis entrée dans la chambre d'Anselme, me dit-elle. Il n'était pas chez lui. Tu sais ce qu'il a accroché à la tête de son lit ?

Je le devinai :

— Cette musique ?

— Oui. Tu l'as entendue, toi, cette musique ?

Ses cheveux blonds flottaient sur ses épaules. Ses joues avaient maigri et son regard, touché maintenant par d'étranges puissances, s'était constellé de points sombres.

— Viens ! lui dis-je. Il y a une bonne trotte.

Nous arrivâmes à Belles-Tuiles, vers quatre heures du soir.

La porte de la maison était fermée. Personne. Nous

nous dirigeâmes vers le jardin. Entre les deux piliers qui en marquaient l'entrée, la barrière à claire-voie était tombée à terre.

Par-delà régnait une étrange désolation. Bien que l'on fût encore dans le plein d'août, les arbres avaient perdu toutes leurs feuilles.

Sur le sol calciné les petites plantes familières du potager jaunissaient, par touffes, au ras des cailloux. La vigne, sous la grotte, ne tordait plus qu'un cep brûlé.

Les amandiers étaient morts. Une odeur d'incendie emplissait ce creux de rochers, où se blottissait quelques mois auparavant le merveilleux jardin. Pas un oiseau. Pas une bête. Pas un souffle d'air.

Hyacinthe s'accrochait à moi. Elle tremblait.

— Il ne fallait pas remonter... On a eu tort...

— Partons, lui dis-je.

Mais, arrivés devant la maison, elle poussa un cri.

— Regarde la porte !

La porte maintenant était entr'ouverte.

Hyacinthe voulait s'enfuir. Mais moi, je ne pouvais plus bouger. Cette fente noire me fascinait. Je serrai le poignet d'Hyacinthe. Elle gémit, et, épouvanté, je fis un pas vers la porte.

Je la poussai.

La chambre était sombre ; tout le mobilier en avait disparu. La niche du fond avait perdu son rideau.

Nous allâmes dans les autres pièces, béantes, abandonnées.

Soudain dehors quelqu'un marcha. Nous nous réfugiâmes, à droite, dans un réduit. De là nous pouvions voir le mur qui, dans la pièce d'entrée, faisait face à la porte. Elle y projetait un rectangle éblouissant de lumière.

Une ombre s'y dressa, l'ombre d'Anselme. Il resta un moment immobile sur le seuil, puis il entra. Nous ne le voyions pas ; mais je compris qu'il allait vers la niche.

Alors je tendis la tête et je regardai.

Anselme avait plongé son bras dans la niche. Il en retira un coffret de bois peint. Il le prit, sortit de la maison et repoussa la porte.

Nous attendîmes qu'il s'éloignât. Au pas, je compris qu'il redescendait vers Peïrouré.

Dans l'obscurité, serrés follement l'un contre l'autre, nous écoutions.

On entendait craquer doucement, sous la chaleur de l'été, la charpente du toit ; et, du foyer éteint, arrivait par moments une odeur triste de bois brûlé et de cendre. Des insectes taraudaient obstinément les lattes du plafond. De quelque cave creusée dans le roc, montait l'odeur de la pierre moisie. Tout autour de la maison abandonnée, les masses de la montagne, sous huit heures de soleil lourd, exhalaient une puissance bestiale. Nous étions seuls.

Comment sortîmes-nous de là ?

Je sais seulement que nous atteignîmes les premières maisons du village, à la nuit tombée. Là, nous nous séparâmes. Hyacinthe disparut. Elle se défit dans la pénombre par enchantement, comme toujours, presque sous mes yeux.

Grand-mère ne sembla pas soupçonner notre escapade.

On soupa.

A neuf heures, j'entendis le troupeau qui partait vers les collines, les grognements du chien, les appels rudes et affectueux du berger.

Quand Anselme fut assez loin, je courus dans sa chambre. Je n'eus pas de peine à trouver le coffret de bois peint, posé sous le lit ; mais il était fermé à clef.

Je rentrai chez moi et j'attendis le retour du troupeau.

Il revint vers minuit, une heure plus tôt que d'habitude. Anselme fit entrer les moutons dans la crèche et se retira.

Par une lucarne, je voyais la lumière de sa chandelle. Elle resta si longtemps allumée que cela me parut insolite. Je descendis et me glissai jusque-là.

Anselme, assis sur son lit, le chien à ses pieds, lisait avec application dans un grand cahier rouge.

La lumière l'éclairant de côté, son ombre se projetait au plafond. Il avait un air réfléchi. Ses sourcils durement froncés dénotaient un effort de réflexion, et peut-être quelque méfiance.

Il resta longtemps à lire, une heure peut-être. A la fin, il rangea le cahier dans la mallette peinte, la referma à clef, cacha la clef sous une cruche de terre. Et il souffla sa chandelle.

Je revins vers la maison. L'air sentait l'odeur de la bergerie : la laine chaude, la paille, le lait caillé et l'herbe des éclisses. Un troupeau, qui s'était attardé dans les collines, passait deux cents mètres plus haut à travers les bois d'oliviers. On entendait le piétinement des bêtes et çà et là le tintement d'une clarine.

Dans la crèche un mouton bêla.

Puis tout se tut. La nuit pastorale était calme.

Pendant trois jours il ne se passa rien, mais Hyacinthe resta à peu près invisible. Elle se tenait dans sa chambre. J'allai y frapper. Elle me répondit qu'elle ne pouvait pas m'ouvrir. Vexé, je me retirai et ne fis plus aucune tentative. Le coffret (je le vérifiai chaque soir), restait sous le lit d'Anselme. On voyait toujours la flûte pendue contre le mur. L'âne broutait paisiblement les alentours de Noir-Asile. Grand-père avait son air heureux. Grand-mère dirigeait les travaux domestiques avec son calme habituel.

Ce fut un samedi soir que les Nomades arrivèrent.
Ces gens au teint basané, on les appelle chez nous des
Caraques. Ils viennent habituellement de l'Est par la
route de Costebelle et ils campent en dehors du
village.

Il y en avait, ce jour-là, une quinzaine. Personne
n'en fit grand cas ; on était accoutumé à ces passages.
Il ne s'écoulait guère en effet de saison qu'on ne vît un
de ces campements éphémères allumer son foyer de
ronces entre deux cailloux, sur le bord de la route, à
trois cents mètres des dernières maisons. Ils arrivaient
nombreux, à la mi-mai, car ils se dirigeaient alors vers
la Ville-de-la-Mer pour la fête des Trois-Maries. Mais
des groupes isolés apparaissaient aussi à d'autres
moments de l'année, et il n'était pas rare d'en voir un
ou deux s'établir, pendant quelques jours, entre le
village et la montagne, justement vers la fin du mois
d'août, au moment des pluies d'or.

Alors la Terre, encore toute brûlante de l'été, entre
dans le champ sidéral des astéroïdes, et souvent, au
plus pur de la nuit, les calmes du ciel sont traversés
silencieusement par des nappes d'étoiles.

Jusqu'à l'aube les nomades entretiennent des feux
et veillent autour des brasiers. Coutume dont jamais
nul n'a su la raison, tant il est difficile de connaître
l'origine, la vie, le culte, les chemins et les buts de ces
hommes. On les tient à l'écart ; on les accuse de
maintes rapines. Ils inspirent la crainte. Quelquefois
de leur campement s'élève une voix, familière des
ténèbres, qui chante près du feu, peut-être les regrets
du chemin parcouru, l'espace qui descend aux hori-
zons lointains de la mémoire et qu'un long souvenir
traîne mélancoliquement derrière lui.

Bohémien qui chante à la flamme
A ce moment vole ton âme,

disait la Péguinotte, qui les détestait. Car on les soupçonne aussi d'enlever les enfants. Mais ce sont là des contes qui n'obtiennent plus guère créance, sauf chez quelques vieilles gens, ou dans l'esprit de ces êtres sensibles et imaginatifs, comme la Péguinotte, qui peuplent leur vie domestique de petits démons attentifs à nous nuire et de sorcelleries.

Si je rappelle le passage de ces Nomades, c'est parce qu'il y eut alors à Peïrouré, outre la Péguinotte, des gens de bonne foi, pour établir un lien entre la présence de ces étrangers et les graves événements qui détruisirent la paix de notre maison. Leur départ fut, je dois l'avouer, assez mystérieux. Ils disparurent en une nuit, sans laisser de traces. Car on les rechercha aussitôt, on battit le pays à vingt lieues à la ronde, mais vainement. Certes je ne crois point qu'il faille leur imputer un acte abominable. Cependant aujourd'hui, après tant d'années, il m'arrive parfois d'accorder à quelques troublantes rencontres, une importance sans doute excessive.

Ils arrivèrent dans la soirée du samedi, 18 août, qui était le jour de Sainte-Hélène. Ils s'arrêtèrent devant la maison et firent danser un ours. Hyacinthe, qui par hasard se trouvait là, voulut les suivre. Il fallut que grand-mère Saturnine elle-même apparût pour que la fillette rentrât à la maison. On la gronda.

Pendant deux jours, elle fit de brusques apparitions, dans ce coin du jardin où je me tenais de préférence. Mais, à ma vue, toujours elle se sauvait.

Le 22, qui était un mercredi, je rencontrai Anselme qui sortait du presbytère. Il me demanda ce que je faisais là. Je ne sus que répondre. Il hésita un moment puis il me dit :

— Tu sors, la nuit, dans le jardin, hé ! petit ?

Je l'avouai.

— Il faut rester dans ta chambre. Tu pourrais faire de mauvaises rencontres.

J'étais épouvanté.

— On a essayé de me voler, ajouta Anselme ; mais j'ai l'oreille fine, malgré mon âge, et je me suis levé à temps... Le drôle, c'est que le chien n'a pas grogné... Maintenant ils peuvent revenir ; j'ai mis mon bien en sûreté...

Il parlait pour lui seul ; il m'avait oublié...

— Votre bien ? lui demandai-je.

Il sourit.

— Oh ! le bien d'un vieil homme comme moi, ça n'est pas grand-chose...

Il me prit par la main.

— Il faut rentrer.

Revenu à la maison, Anselme eut une longue conversation avec grand-père.

Le troupeau partit vers neuf heurs, comme d'habitude, mais sans le chien. Son absence m'étonna.

Je me glissai dans la chambre d'Anselme. La cassette n'y était plus.

Comme quelqu'un s'approchait, je me cachai dans la bergerie attenant à la chambre.

Ce fut Hyacinthe qui entra. Elle s'agenouilla et regarda sous le lit. Dépitée, elle se releva, parcourut la chambre du regard, puis se mit à fouiller dans le coffre d'Anselme. Elle n'y trouva pas ce qu'elle cherchait.

Alors elle sauta sur le lit, décrocha la flûte, la cacha sous son tablier et sortit.

Je quittai ma cachette. Il faisait sombre. Hyacinthe se dirigeait vers Noir-Asile. Je l'y suivis. On n'y voyait pas, mais j'entendis gémir. C'était le chien qu'on avait attaché à la cabane. Je m'approchai, il me reconnut et tira sur sa chaîne pour me caresser. Il rampait, en poussant de petits cris. C'était un grand chien des Hautes-Terres, à longs poils, avec des crocs durs et un air de franchise au combat qui rassurait. Brave, sensé, intelligent. Cependant pour l'instant il paraissait tourmenté par la peur.

Je le flattai. Il gémit plus haut et se remit à tirer furieusement. Alors je le détachai. Aussitôt il s'enfuit du côté de la maison en gémissant. Je restai seul.

A peine distinguait-on la masse noire de la cabane. Tout autour les genêts embaumaient l'air. Où était l'âne ?... Je me rappelai le conseil inquiétant d'Anselme :

— Petit, il faut rester dans ta chambre. Tu pourrais faire de mauvaises rencontres...

Pourtant je n'avais pas peur.

Depuis longtemps j'avais fait amitié avec la nuit. Elle me cachait bien et j'avais confiance en elle. Quand j'avais fui de Costebelle, elle avait protégé mon voyage, et là-haut, à la Roche-Blanche, j'avais pu épier l'un de ses mystères. Elle avait toujours satisfait mon goût des présences secrètes. Quelquefois j'y avais surpris le passage furtif des animaux qui hantent les ténèbres ; mais, plus que leur fuite invisible, ce qui me troublait, à l'abri de son ombre, c'était ce qui ne bouge pas : ce roc étrange, cet arbre non touché du vent ; et peut-être, plus profondément encore, autre chose, que jamais je n'ai vu, que jamais je n'ai pu entendre, mais qui était là. Je n'en espérais ni bien ni mal. Je n'en pouvais imaginer la forme. Et pourtant j'en sentais la présence.

Jamais, je n'ai reculé d'épouvante aux apparences de la nuit ; car j'ai pénétré la nuit même. L'effroi qu'inspirent les fantômes, l'horreur de leurs figures, mon enfance les a ignorés.

Mais je subissais la Présence. Elle était le témoin voilé du visible et de l'invisible. J'en recevais des communications lentes ou tout à coup sauvages, sans que rien cependant apparût à mes yeux, et quelquefois, envahi de cette fureur qui tourmente les jeunes corps et qui n'a point d'objet, en proie au désir de connaître, je me ruais contre le sol et, roulé longtemps dans les herbes que soudain je mordais, les mains en sang, la bouche collée à l'argile, je buvais le lait de la Terre.

C'est cet enivrement qui me saisit. J'étais seul. Je sentais la nuit. Les genêts dépassaient ma tête et les ronces m'égratignaient la figure. Par-dessus moi, le ciel s'étendait, embué de chaleur, sombre, et pas un souffle d'air ne touchait la cime des arbres. Au loin, du côté des collines, reflétée par un roc, une faible lueur marquait sans doute l'un de ces feux que les Nomades avaient grand soin d'alimenter toute la nuit, alors qu'ils campaient près de notre village, au temps des pluies d'or.

A cet appel répondait tout autour de moi, l'esprit de Noir-Asile. Sur ce coin caché de la terre s'étendait un site moral si singulier qu'il effaçait en moi la conscience des formes réelles du lieu que, malgré l'ombre, je distinguais encore çà et là. Jamais je n'avais reçu de ce quartier abandonné un influx de mystère aussi troublant. Qui donc rôdait autour de moi ? Était-ce la bête, l'enfant, ou quelque autre coureur de nuit ? Je cherchais Hyacinthe et cependant je me sentais observé par d'autres yeux. Que se passait-il à deux pas de mon âme et n'étais-je pas arrivé, inopportunément, sur le bord de quelque étrange conjuration ?

D'abord je ne vis rien. Je m'approchai de Noir-Asile et à tâtons j'en retrouvai la porte. Elle était ouverte.

Je m'en étonnai et entrai dans la cabane. L'âne n'y était plus. A peine une subtile odeur d'écurie.

Dehors, pas un bruit. Par la porte je voyais sous le noir du ciel la masse confuse des arbres.

Plus loin, se détachant sur le champ des étoiles, montait le signe sombre du cyprès Pantaléon.

Un cri léger me fit tressaillir. Il était venu du grand pré qui borde le verger au nord et sur lequel, comme je l'ai déjà dit, s'ouvre un portail à claire-voie.

Non loin de la cabane on foula les genêts et quelqu'un passa rapidement.

Je me glissai hors de Noir-Asile et longeant les buissons je me rapprochai du portail. Là je m'accroupis dans un trou et j'attendis.

De nouveau le silence.

Très loin cependant il me sembla que quelqu'un chuchotait. Mais la voix se tut.

A ce moment le portail s'ouvrit et je vis deux ombres, l'une grande, l'autre petite, celle d'un enfant. Je crus reconnaître Hyacinthe.

Il y eut encore des chuchotements que je ne compris pas. Je rampai vers le portail dans l'herbe haute.

Une voix d'homme murmurait :

— Il me faut ça... Je le veux...

C'était bien Hyacinthe, l'autre. Elle répondit :

— Je ne sais pas où il l'a cachée. Je n'ai rien pu trouver. J'ai cherché partout. Ça n'est plus là.

L'homme insistait (où avais-je entendu cette voix ?) :

— Il ne rentrera pas avant minuit. Retourne.

C'est peut-être dans l'étable, sous la paille...

Hyacinthe hésitait. L'homme reprit :

— Je t'attendrai au bas de la prairie. J'appellerai de temps en temps avec un seul roseau, celui-ci. Il est grave, on n'y fait pas attention ; on dirait un appel de crapaud...

A ces mots mon cœur tressaillit. M. Cyprien !

Il porta ses mains à sa bouche. Un son doux et flûté
s'en échappa.

— Va, dit-il.

Hyacinthe s'enfuit légèrement vers la maison.

L'homme s'éloigna dans le pré, en laissant le portail
ouvert.

C'était lui, à n'en pas douter. Mais quelle voix ! Un
timbre dur... A peine reconnaissable...

Je sortis de mon trou pour le suivre des yeux, mais
il avait disparu.

— Elle va revenir, pensai-je.

Je compris tout à coup qu'elle ne pouvait pas
s'échapper. Il l'avait enchantée comme une bête.

Je ne bougeai plus. L'horreur me glaçait. Je m'étais
appuyé contre le pilier du portail.

J'attendais Hyacinthe.

Elle resta absente à peu près un quart d'heure. Elle
apparut enfin sur le sentier, du côté du cyprès
Pantaléon. Elle vint droit vers le portail. Mais, au
moment de le franchir, elle s'arrêta. Je l'entendis qui
haletait.

Elle dut s'appuyer au pilier et je me reculai un peu.
Elle embrassa la pierre, posa sa tête contre le mur et
ne remua plus.

J'avais ma joue à dix doigts de la sienne dont je
sentais l'odeur acide, la chaleur fauve et courte. Je
m'étais incorporé à la pierre. Entre elle et moi se
dressait ce dieu de la porte.

Hyacinthe pleurait. Elle m'appela doucement...

J'étais fou. Je ne bougeai pas.

C'est alors que monta de la prairie le premier appel,
ce souffle... Pur soupir du roseau magique, à peine
distinct du silence, et doux comme un appel de
crapaud à la lune..

Hyacinthe se rua contre le pilier, l'enlaça sauvagement de sa bouche se collait à la pierre. Elle gémissait

et sa voix tout à coup devenait un râle. Elle semblait ivre, en proie aux démons opposés de la magie et de l'amour, pantelante. Elle tomba.

Dans l'herbe, étendu de tout son long, son corps tressautait. Je m'agenouillai près d'elle. Elle me parut évanouie. Je n'osai la toucher. Ce corps frémissant me faisait peur.

En bas l'appel reprit. Mais Hyacinthe ne bougeait plus.

A ce moment j'entendis du côté de la Plantade les clarines familières du troupeau d'Anselme qui rentrait. Je pensai qu'il devait être à peu près minuit. Ces grelots nocturnes me donnèrent du cœur. Il fallait courir, chercher du secours, ramener Anselme. Maintenant Hyacinthe apaisée semblait dormir. Je me levai et courus vers la maison.

Je pénétrai dans la chambre d'Anselme. Vraisemblablement il n'allait pas tarder à rentrer. Pour l'attendre, je m'assis sur le bord de son lit. J'étais las. Rien ne remuait dans la maison. Le sommeil avait dû la saisir doucement vers neufs heures...

Les dernières nuits de l'été, un peu avant septembre, entrent parfois dans de bons pays de sommeil ; et, disposant nos corps sur les lignes magnétiques des songes, elles fournissent à nos repos des paysages intérieurs composés pour la quiétude et les temps de l'oubli... Il leur suffit d'un silence complice pour assoupir et libérer nos esprits de nos âmes. Insensiblement nous passons de l'émotion la plus intense à ce calme, à cette profondeur...

Je m'endormis.

On ne retrouva jamais Hyacinthe.

Tout le monde essaya d'expliquer cette disparition, mais personne n'y réussit.

On ne s'en aperçut pas tout de suite. Je m'éveillai moi-même en pleine nuit. Anselme n'était pas rentré. Ce jour-là, je ne sais pour quelle raison, il devait rester dehors jusqu'à l'aube. Éveillé dans ce noir, je n'eus pas le courage de retourner à Noir-Asile, et je regagnai ma chambre.

Ce fut la Péguinotte qui, la première, manifesta quelque inquiétude vers 10 heures du matin, et aussitôt la maison fut bouleversée.

Grand-père se hâta vers Noir-Asile. Il constata que l'âne était parti. Anselme s'aperçut qu'on avait volé la flûte de roseaux.

Grand-mère Saturnine comprit qu'Hyacinthe avait abandonné la maison.

En un quart d'heure tout Peïrouré connut l'événement.

Comme on avait caché avec soin la première fugue de la fillette à Belles-Tuiles, personne, dans le pays n'explora ce quartier, sauf Anselme qui fit buisson creux.

Mais on pensa tout de suite aux Nomades dont les trois campements, la veille au soir, étaient encore visibles, près de la combe.

On y courut. Les Nomades n'étaient plus là. On constata que leurs feux brûlaient encore. On jugea donc qu'ils ne pouvaient pas avoir parcouru beaucoup de chemin. On partit à leurs trousses, sur la seule route qui coupe la montagne, et qui conduit à Caveterre. Mais on ne put les rejoindre. On alerta les villages voisins. Personne ne les avait aperçus. Cela tenait du prodige. Ils s'étaient évanouis. Ardigal, qui était un petit pâtre, mais d'esprit innocent, raçonta qu'il les avait vus quitter la route au lieu, dit « La Roche-d'Espéil » et s'enfoncer dans un ravineau.

Quelques-uns poussèrent par là, mais sans succès. Le ravineau se perdait bien vite en un dédale cahotique et farouche, où personne, sauf Firmin le braconnier, n'avait jamais osé mettre le pied. Malheureusement Firmin était absent. La maréchaussée ne fut pas plus heureuse que nous. Au bout de huit jours on abandonna les recherches.

Comme personne ne m'interrogea, je ne dis rien.

On ne me cacha point le départ d'Hyacinthe.

Une semaine après, on n'en parlait plus.

C'était là un sujet sur lequel tout le monde, y compris moi, observait le silence. Chacun nourrissait sa peine à part soi, sans la communiquer à ses proches, et cependant nous sentions tous qu'un mouvement commun de regret et d'horreur passait de l'un à l'autre, par moments, comme un soubresaut.

L'été touchait à sa fin. Quelquefois en descendant du pâturage, il arrivait que le troupeau tournât avec une sourde inquiétude ses quarante museaux laineux du côté de la pluie, vers cet Ouest encore si pur, où bientôt cependant on allait voir monter les premiers nuages de septembre. Les vacances livraient leurs derniers plaisirs, ces beaux jours, qui sont les plus émouvants de l'année ; et quelquefois, sur le groupement amical des maisons du village, des vols d'oiseaux angoissés par l'esprit du départ, tourbillonnaient avec des cris, et tout à coup s'abattaient sur le toit, sur les arbres, chœur gémissant effrayé par l'automne.

J'ai toujours été sensible aux saisons, à leurs premières pointes, à leurs temps de splendeurs, à leurs déclins.

Leurs vicissitudes me touchent. Cette fin de l'été me troubla au point que j'errais, presque chaque soir, tantôt en pleins champs, tantôt dans les ruelles les plus désertes du village, surtout du côté de l'église. Malgré la disparition d'Hyacinthe, on ne me retenait pas à la maison. Aucune surveillance visible ne m'empêchait de courir où m'emportaient mon caprice et cet aiguillon mystérieux de la saison déjà défaillante.

Peut-être à mon insu, suivait-on mes démarches. Peut-être, pensait-on que Hyacinthe partie, moi, je ne courais plus aucun danger.

J'étais libre. Mais je n'usais pas largement de cette faveur. Je me contentais de tourner autour du village, toujours en vue de ses maisons robustes, qui me rassuraient.

Le vendredi 11 septembre, je tombai à l'improviste sur l'abbé Chichambre. Il surgit devant moi, près du lavoir. Je m'arrêtai.

Il me dit :

— On ne te voit plus, Constantin.

Je ne sus que répondre. Il me regardait de ses petits yeux vifs, minutieux.

— Tu m'as l'air bien agité, me dit-il.

Il avait quelque six pieds de haut et moi tout petit, devant cette colossale soutane, les yeux baissés, je regardais deux grands souliers à clous, plantés dans la terre.

— Tu ne viens plus te confesser, remarqua-t-il, sur un ton de reproche.

Il me regardait toujours. J'osai lever les yeux. Son air intelligent et triste me frappa.

Je ne sais ce qui m'inspira cette audace folle, mais je lui demandai :

— Vous avez de la peine ?

Les larmes me montaient aux yeux.

Il parut étonné, son regard s'adoucit, puis il me répondit :

— Tu viendras, demain à six heures. Va.

Je m'écartai de son chemin et il continua sa promenade.

Le lendemain, je le trouvai dans la sacristie. Il tenait dans ses mains un gros cahier rouge, cartonné. Il le posa sur sa table, s'assit.

Je m'agenouillai devant lui et me signai.

— Il vaut mieux que tu me racontes ça en confession, me dit-il. *Confiteor*...

Il s'agenouilla à son tour.

Nous priâmes, puis il se releva, appuya son large dos au mur, et, sous un grand crucifix de fer cloué très haut contre la paroi, il attendit.

Sa main gauche reposait sur la tablette de l'armoire aux chasubles.

Elle attira mon regard. C'était une main calme, une main de combat sans rien de brutal. Deux veines la gonflaient.

Je parlai en la regardant. Ma confession dura peut-être une heure. Pas un instant cette main ne remua.

A la fin je me tus. L'abbé prit le gros cahier rouge et me demanda :

— Tu connais ce cahier ?

Je fis signe que oui. C'était le cahier que j'avais vu entre les mains d'Anselme.

— Tu l'as lu ?

Je ne l'avais pas lu. Je le dis. Il me crut tout de suite.

— Tu le liras peut-être, plus tard, me dit-il.

Il regarda l'horloge de la sacristie :

— Sept heures. Viens, on va dire une prière.

La nuit avait envahi la sacristie. Par la porte de communication ouverte sur la petite église de campagne, on voyait brûler la lampe à huile de la lumière perpétuelle.

J'entendis la voix de l'abbé comme un murmure :

Te lucis ante terminum
Rerum Creator poscimus...

Il récitait l'hymne de saint Ambroise.
Vous le connaissez :

Procul recedant somnia
Et nocturni phantasmata...

Il se tut un long moment, puis se releva, me prit la main, et me fit traverser l'église.

Nous arrivâmes sous le porche.

La nuit était venue ; cependant dans le ciel de l'Ouest un peu de lumière vivait encore.

L'abbé posa sa lourde main sur ma tête, qu'il renversa en arrière, m'obligeant ainsi à lever les yeux.

Il me regardait avec une telle douceur que j'en fus bouleversé.

— Quant au Paradis, me dit-il, tu ne le trouveras qu'au Ciel.

Et il rentra dans l'église.

*Journal de
monsieur Cyprien*

Observations préliminaires

Les pages qu'on va lire ne jettent guère de clarté sur les événements dont le récit précède. Je le reconnais. Moi-même, je n'en saurais fournir une bonne explication. J'apporte simplement une dernière pièce, ce cahier rouge qui m'échut vingt-trois ans plus tard. Il serait vain d'y chercher des éclaircissements sur l'origine de M. Cyprien, ni sur ce qu'il advint de lui, après qu'il eut abandonné son jardin de montagne. Certes il serait sage de considérer ce journal (que découvrit le vieil Anselme à Belles-Tuiles), comme le fait d'un homme peu sensé. A lire ces pages, un esprit raisonnable a le droit de juger que M. Cyprien était fou.

Mais, moi, je n'oublie pas que je l'ai aimé. Qu'il fût inquiétant, comment n'en conviendrais-je pas ici ?

Le trouble qu'il porta non seulement en mon cœur, et dans l'être si tendre d'Hyacinthe, mais encore en des âmes mâles, qui le nierait ?

Au fond, jamais sur ce sujet je n'ai connu le vrai sentiment de l'abbé Chichambre.

Si, en prêtre avisé, il flaira dans l'esprit de M. Cyprien les conseils d'un démon redoutable, cependant ne retrouvait-il pas dans le fond de son âme tout ce

que le vieil homme de la mer voulait faire surgir, lui,
du sol ingrat qu'il habitait, ce Paradis ?

Ce Paradis, l'abbé Chichambre le situait au ciel ou,
plus exactement peut-être, entre le plus pur de la
Terre et le commencement de l'Empire céleste, par
crainte de cet orgueil dont M. Cyprien ne sut pas se
garder. Mais il aimait la Terre, notre vieux curé de
campagne, pour l'avoir longtemps parcourue, et pour
s'être arrêté, vers la fin de sa vie, chez nous, en qui
toute noblesse et toute religion vient d'elle, comme il
est naturel à un peuple qui vit sur les aires et dans les
vergers.

Nous voulons tous le paradis sur terre, et l'homme
se croit né pour le bonheur. N'est-ce pas naturel ?
Mais il est d'un esprit économe de l'âme de réserver
une part de désir jusqu'à la fin. Ce n'est pas faire
offense aux dons de la Terre que de les accepter et
d'en jouir avec mesure ; c'est plutôt donner forme à
son plaisir, le marquer d'une dignité. Le reste, l'ardeur réservée, vaut pour les promesses du Ciel. Quant
à moi, je crois que ce sont les plus belles. Mais à
l'image de l'abbé Chichambre, je ne saurais les
concevoir qu'ouvertes sur des amitiés humaines, où
les souvenirs de la Terre, avec ses plantes et ses
animaux, ses eaux, ses nuages, formeraient l'horizon
de ces lieux élevés.

C'est pourquoi je n'ai pas voulu écarter de ces
pages les confidences de ce vieil homme étrange qui,
malgré un éclair d'égarement, eut ce sens du bonheur
et me l'a donné.

Peut-être des esprits plus pénétrants que le mien,
dénoueront-ils des symboles que j'entrevois à peine.
Car je soupçonne que ces notes, d'ailleurs mutilées,
contiennent plus de sens que n'en offre l'apparence
banale des mots. La preuve en est qu'on y rencontre

çà et là, inscrites au crayon, les réflexions que cette
lecture inspira à l'abbé Chichambre.

Pour moi, je ne saurais relire ces quelques pages
sans une émotion que les ans n'ont pu atténuer. J'y
retrouve ces purs moments où je croyais toucher au
jardin d'innocence.

J'y vois poindre l'inquiétude et peu à peu s'offrir les
prémices de l'ombre.

Tout me semble s'y dérouler sur des sous-enten-
dus, y procéder par allusions.

A quoi ? Je ne saurais le dire. Peut-être à cette
Présence cachée dont j'éprouvais moi-même les effets.

Les mots y voilent un pouvoir magique, les silences
n'y sont que des ouvertures soudaines sur l'empire
secret, et l'esprit, qui reçoit ces messages si réticents,
se met en état de mystère.

Une remarque encore. Les notes de M. Cyprien ne
semblent pas le fait d'un homme inculte. Loin de là.

« Je me suis ensauvagi, dit-il quelque part, parce
qu'on m'avait enseigné trop de choses, et jamais le
bonheur ; et cependant je ne voulais rien que cela.
Tout au plus me l'avait-on promis. Avec ce fatras de
notions qu'on avait entassées en moi, je ne pouvais
plus croire à cette promesse.

Alors j'ai tout quitté, et j'ai cherché le simple, le
pur. J'ai pensé que peut-être, si je retrouvais cette
naïveté, je serais plus crédule... Bientôt j'ai lié de
nouvelles amitiés (il n'y a pas que celles des hommes)
et j'ai parcouru la terre durement, car j'ai croisé bien
des aventures. Rien ne venait pourtant ; mais j'ai la
tête dure et je me suis obstiné dans mon dessein.
Hélas ! si j'avais oublié presque tout ce qu'on m'avait
appris de force au temps de ma jeunesse, le monde,
lui, ne m'offrit guère par la suite de spectacles propres
à me faire croire au bonheur. Je n'y étais pas meilleur
que les autres.

Cette poursuite a duré des années.

Et puis j'ai fait le Pacte... »

Sous cette page l'abbé Chichambre a écrit de sa main ces trois mots :

« Avec la Terre. »

Texte du Journal

16 juillet. Année I du Nouveau Jardin. Je les entends rôder toutes les nuits. Ils descendent vers une heure, mais ils ne se laissent pas voir.

Il y a de l'eau près du grand figuier. Creuser trois mètres environ. Pour le verger, un bon terrain derrière la maison, à l'abri de la petite falaise.

On appellera ça « Fleuriade ».

18 juillet. L'abbé m'a dit en hochant la tête : « Je connais Belles-Tuiles. » Je n'ai rien répondu ; mais il ne connaît pas Belles-Tuiles. Cette eau, par exemple, que je sens à trois mètres sous mes pieds, quand je vais me promener au fond du jardin...

J'ai le soupçon que, sous ce roc, la montagne est creuse. Il doit y avoir là d'immenses poches, pleines d'eau. Elle filtre à travers le calcaire, pendant l'hiver.

19 juillet. L'âne obéit. C'est un fait bien remarquable. D'ordinaire il n'est rien de plus rétif aux Pouvoirs que ces animaux domestiques. Avec les autres la soumission est plus facile. Mais en ce pays, même les bêtes libres s'obstinent dans leur méfiance.

20 juillet. 7 heures. Ce matin, au petit jour, j'ai

commencé à creuser. Je me suis arrêté deux fois
seulement avant midi. Chaleur torride. J'ai continué
jusqu'au soir. Je vais casser la croûte. Je reprendrai
vers 9 heures. Le filet ne doit pas être loin, maintenant.

11 heures du soir. L'eau est là. D'abord la roche
s'est mouillée. J'ai donné un coup de pic. Par la fente,
l'eau est montée d'un doigt, puis s'est arrêtée. Déjà
claire. J'ai disloqué le roc avec la barre à mine. Alors
elle a recommencé à monter. Je me suis allongé par
terre et j'ai bu. Elle était assez fraîche. J'y retournerai
dans une heure. Je n'en puis plus.

Minuit. Elle a beaucoup coulé. Elle emplit maintenant un creux qui a bien un mètre et demi de côté. La
lune éclaire cette petite conque. Quand on se penche
on voit distinctement l'eau qui arrive du fond en
soulevant des bulles d'air.

21 juillet. 9 heures du soir. Pendant la journée j'ai
tracé une rigole à travers le futur jardin pour conduire
l'eau jusqu'à la maison. J'en ai bu plusieurs fois. Très
pure, filtrée. Elle doit descendre d'une nappe située
au-dessus de Belles-Tuiles, sans doute entre la maison
et les crêtes.

Qu'elle est douce, ce soir, la Terre !

24 juillet. La source ne se tarit pas. Son débit est
faible, mais régulier. Je l'ai amenée près du cellier, et
là j'ai construit une murette et un réservoir d'argile.
J'ai planté un roseau à travers la murette. L'eau tombe
sur une vieille tuile. Je l'aime. Elle a un goût de racines
amères, de moelle d'arbres et, par moments, de terre
végétale.

25 juillet. Ce matin, je me suis levé à l'aube pour
aller revoir mon eau, à Fleuriade. Il faisait bon. J'ai

surpris deux ramiers qui buvaient dans la conque, juste au-dessus des bulles d'air.

Ils m'ont vu ; je me suis approché d'eux. Ils ont continué à boire. J'ai fait le double signe. Ils ont gonflé le col. De jolies bêtes bleues. Je me suis éloigné. Alors ils ont pris leur vol et j'ai vu s'avancer un énorme lézard, du fond de la grotte. Ici on appelle cela une *rassade*. Le lézard a bu, puis il s'est mis en plein soleil. A midi il n'avait pas bougé.

26 juillet. J'ai l'amitié de l'âne. Fait singulier, les Pouvoirs n'agissent pas sur lui directement, ils l'ont simplement éveillé. Il a entendu l'appel et y a répondu, mais avec réserve. J'ai l'impression qu'il ne veut pas servir, mais s'associer et qu'il attend. C'est pourquoi j'ai parlé d'Amitié.

Il n'est plus maintenant un âne comme les autres. Non que les Mots l'aient soumis. Mais il a eu l'air de les comprendre ; il a été ému de leur sens d'amitié plutôt que de leur puissance magique. J'en jurerais.

C'est un petit âne montagnard, robuste et attentif. Il dort en plein air derrière la maison.

27 juillet. Je suis heureux. Le figuier sent bon. Il y a maintenant vingt ramiers-palombes qui viennent boire à Fleuriade, et par moments, surtout le matin, des vols d'oiseaux criards s'abattent brusquement autour de l'eau, puis s'envolent, en tourbillons tièdes.

Un geai bleu est arrivé, vers le soir, je ne sais d'où. Il s'est arrêté, sur le mur, et n'a plus bougé.

28 juillet. J'ai fait, à la nuit tombée, une dernière descente au village. En passant devant l'auberge, j'ai vu l'aubergiste qui égorgeait un coq. Je n'y retournerai plus. L'âne suffira à tout.

J'ai rendu visite à l'abbé. Il est resté sur la réserve.

C'est cependant un homme d'une étonnante intelligence, et sans rien de conventionnel dans la charité.

Il m'a appris qu'il aimait les bêtes. Je lui ai parlé du coq égorgé. Il s'est tu. Il m'a accompagné, un bout de chemin. Je lui ai dit :

— On ne s'étonne pas assez de vivre.

Il m'a répondu :

— Vous avez raison, et le plus étrange, c'est qu'on s'étonne ensuite de mourir.

J'ai voulu pousser l'entretien dans ce sens, mais il a gardé le silence. Au moment de nous séparer il m'a dit cependant :

— Soyez heureux, et contentez-vous du bonheur...

Il m'a quitté cordialement. Mais ses derniers mots m'ont suivi et ils me tourmentent encore.

En marge, l'abbé a écrit :

« Il a dû se méprendre. Il paraissait déçu. »

30 juillet. Des oiseaux. Partout des oiseaux. Comme toujours, eux, ils m'ont écouté, les premiers. Ce sont des bêtes dans le vent, aventureuses et sensibles aux charmes. Le moindre appel les touche, pourvu qu'il ait la sympathie des airs.

Ici ils ne portent pas les couleurs éclatantes des Tropiques. Ce sont des oiseaux campagnards qui répondent à des noms simples et bons. Mais leur race n'en est pas moins charmante. La grive, le verdier, l'alouette, la caille, les plus lourds, me plaisent beaucoup. Ils accourent vers moi, quand je le veux, et c'est plaisir. Quelques petits rapaces commencent aussi à s'approcher. Il y a un faucon-des-palombes, un émouchet, et deux ou trois buses. Ils ont d'abord effarouché les autres. J'ai pris les précautions d'usage. Maintenant, ils vivent tous familièrement dans le fond du jardin, entre le figuier et la grotte, autour du point d'eau. Là est le cœur de la Fleuriade.

Deux grands éperviers traversent le ciel, à cent mètres au-dessus de la maison, de l'Ouest à l'Est, chaque soir, un peu avant le coucher du soleil.

L'abbé prétend qu'il y a aussi des aigles, mais assez loin dans la montagne.

J'ai surpris un chat-huant dans le cyprès, il y a trois jours.

Ainsi peu à peu, ils arrivent. Dans un mois, je les aurai tous.

16 août. Hier j'ai voulu rendre visite à l'abbé. Je suis arrivé tard, vers neuf heures. Cependant il n'avait pas encore fini de dîner. Je suis entré, comme toujours, par le jardin du presbytère. La porte de la salle à manger était ouverte et il ne m'a pas entendu venir. Je me suis arrêté sur la terrasse et je l'ai regardé. Il était assis devant une petite table ronde et il mangeait du pain. Près de son assiette il avait posé un bréviaire noir. Une lampe à pétrole éclairait la table. Son repas achevé, il a bu un demi-verre de vin et il a desservi lui-même. Ensuite il est revenu devant la table et, debout, les yeux baissés, les mains pendantes, il a prié. Puis il a soufflé sa lampe et il est sorti sur la terrasse. Je me suis caché derrière un laurier. Le ciel était criblé d'étoiles. Pas de lune. L'abbé s'est arrêté à deux pas du laurier et il a respiré bruyamment. Il m'a semblé qu'il marmonnait des mots. J'ai tendu l'oreille et je l'ai entendu qui disait :

« *Sed et serpens erat callidior animantibus terrae...* »

Il est resté un moment sur la terrasse avant de rentrer. Je suis reparti sans bruit quand j'ai vu de la lumière à la fenêtre de sa chambre.

Pourquoi a-t-il parlé du serpent ? Pourquoi a-t-il

cité les paroles de la Genèse : « La plus rusée de toutes les bêtes de la terre ? »

Note de l'abbé. Je me souviens. La veille il m'avait envoyé, par l'âne, une énorme gerbe de genêts. Je l'avais donnée aux enfants pour orner l'autel de la Vierge. Mais Rapugue est venu en courant me dire qu'il y avait une vipère dans la gerbe. Je suis allé voir. Je n'ai pas trouvé de vipère. Cependant les enfants affirmaient tous qu'ils l'avaient aperçue. Visiblement ils étaient effrayés. Je leur ai dit : « Allez-vous-en, je ferai ça moi-même. » Ils se sont enfuis. Resté seul, j'ai réfléchi. J'ai pris la gerbe et je l'ai portée dans la sacristie. Pendant plusieurs jours, j'ai pensé au serpent. Voilà tout.

25 août. Timides d'abord, mais bientôt familiers, un rat noir, un lérot. La taupe a soulevé le sol derrière la maison.

Toutes les espèces de lézards : le vert, le gris, l'ocellé. Ils vivent en bonne intelligence.

Peu de reptiles véritables, sauf une longue couleuvre à quatre raies qui vient boire à la source même de Fleuriade, quelquefois, le matin, de très bonne heure, avant les colombes. Je sais où elle se retire, son trou.

Depuis hier une salamandre, et quelques grenouilles, dans l'eau. Elles semblent issues de la terre même. D'où viennent-elles ?

Aucune de ces bêtes ne fuit à mon approche. Quand je pose ma main à côté de l'énorme *rassade*, qui a près d'un mètre de long et qui passe pour fort méchante, elle ne bronche pas.

Les Pouvoirs ont agi peu à peu.

Il faut être simple. Les bêtes ne s'effarouchent pas au contact de ceux qui sont simples. J'ai fait alliance, avec les règnes de la Terre : la pierre, la plante, l'animal.

30 août. Nous passons sur le second versant de l'été. Cependant la chaleur plus que jamais brûle la montagne.

Apparition d'un hérisson. Il s'est établi loin de la grotte, au fond de Fleuriade. Je le crois méfiant.

2 septembre. J'ai vu le grand duc. Il est descendu sur le figuier aux premières ombres et il a regardé le jardin.

Le jardin était désert. Toutes les bêtes s'en étaient retirées. Le grand duc est resté longtemps sans bouger, puis il s'est envolé silencieusement. Il est énorme.

4 septembre. D'autres nocturnes : l'effraie, la chouette, la hulotte, le hibou.

Tous arrivent sans bruit et repartent de même, rarement ensemble.

Le jardin est un territoire de paix. Jamais une menace. Point d'attaque. Personne n'y a peur. Son génie familier c'est l'Amitié humaine.

6 septembre. Les bêtes nous ressemblent. Leur savoir, leur méfiance, leur férocité. Car elles sont féroces souvent, et malheureuses.

Les aimer.

9 septembre. Belles-Tuiles est appuyée contre un gros rocher qui lui cache la plaine et le village.

La maison est orientée sur les collines et les vallons inhabités.

On n'y rencontre ni sources ni maisons, mais des fourrés épineux, quelques bouquets de pins et deux ou trois chênes. Plus bas, par les échancrures on aperçoit des terres, mais loin, et quelquefois le lit caillouteux d'un fleuve qui semble à sec.

Depuis six mois que j'habite ici, personne n'est monté du village, sauf l'abbé, jusqu'à Belles-Tuiles. Que peuvent-ils imaginer ? Ne sont-ils pas curieux ? Cela tiendrait du miracle. Et l'âne, quel étonnement pour ces pauvres rustiques !...

J'ai cependant aperçu un vieil homme qui se tenait à cinq cents mètres de Belles-Tuiles, sur un mamelon. Il gardait son troupeau. Un vieil homme grand, encore fort. Il est arrivé vers le soir. Il est resté là, longtemps après la tombée de la nuit. De la maison on entendait la cloche du troupeau. Elle ne s'éloigna que fort tard vers les basses terres.

La prochaine fois que se montrera ce vieux pâtre, j'irai vers lui, je lui parlerai.

C'est le premier messager de ces hommes. Ce sera sans doute le seul.

Et encore vient-il de leur part ?

12 septembre. Je sens déjà les premiers signes de l'automne. Les oiseaux se rapprochent de la terre et, quoique rien n'ai bougé de ces arbustes ni de ces arbres que ne touche jamais l'hiver, les vertus de l'été semblent faiblir. J'entasse des fagots dans le cellier en prévision du froid. Alors que deviendront les bêtes ?

15 septembre. Chaque nuit, les sangliers descendent, dans le petit bois qui domine Fleuriade. Je les entends. Ils soufflent en creusant le sol, à la recherche d'oignons sauvages et de racines. Ils viennent de loin. Leurs bauges doivent se cacher à deux ou trois lieues d'ici, par-delà la combe de Rochegalade.

Demain je les attendrai dans le bois.

Je veux les voir. Ce sont les derniers dieux de cette montagne.

17 septembre. Deux mois à peine que je suis arrivé ici. Déjà l'eau monte du sol, la terre travaille, les bêtes se rassemblent. Au printemps tout le jardin partira d'un jet. Il jaillira.

J'ai dit les mots ; j'ai fait les gestes. Les mots, je les ai prononcés avec la voix juste et l'intonation véritable. Les gestes, ma main les a tracés suivant les prescriptions du rituel.

24 septembre. Les bêtes savent trop de choses ; et ne sont pas heureuses. Jadis j'ai cru à leur bonheur ; j'ai voulu me rapprocher d'elles ; mais aujourd'hui, je n'y crois plus, et je ne peux, hélas, que les aimer. Je les aime. Pourtant elles ne viennent pas à moi de leur plein gré. Elles sont attirées de force. Leur méfiance cède aux puissances d'une magie. Je les sens plus domptées qu'affectueuses ; mon amour leur pèse, mes bienfaits les enchaînent ; ce ne sont plus des bêtes libres. Je le vois, elles souffrent.

Elles souffrent mais elles s'approchent. Les pattes raides, à pas comptés, elles viennent à moi. Leur corps résiste ; elles s'arrêtent, puis finalement obéissent.

Toutes.

30 septembre. A la pleine lune, il m'arrive parfois de descendre jusqu'aux dernières maisons du village. Je rôde le long des vergers. En ce pays les gens s'endorment assez tard. Bien souvent on les voit assis sur le pas de leurs portes, paisiblement, par groupes de trois ou quatre. Ils parlent. Çà et là, quelques lampes. Peu d'enfants. Les conversations sont très calmes. Arrêté derrière une haie, je les écoute. Maintenant je connais presque toutes les maisons de la périphérie. Chacune a ses parleurs nocturnes, avec leurs voix à eux, un timbre, un accent personnels. La plus belle de toutes, métairie et maison de maître, entourée, au sud, d'un immense jardin, abrite une population plus silencieuse : deux vieillards, trois domestiques, une fillette et un petit garçon de dix à douze ans. Le soir, les deux vieux prennent le frais sur la terrasse, et le garçon va s'asseoir, tout seul, sous un énorme cyprès, à quelque cinquante mètres de la maison. Vers dix heures, la bergerie s'ouvre et le troupeau prend le chemin des collines. Le berger qui le mène, c'est ce vieux que j'ai aperçu quelquefois, arrêté sur un mamelon, non loin de Belles-Tuiles. Il s'appelle Anselme et la maison « La Saturnine ».

6 octobre. Les vendanges sont terminées. Les derniers moments de l'été ont donné le raisin. Bientôt les premières pluies nous détacheront du temps des chaleurs. Je prépare mon hivernage. Sans doute la terre restera-t-elle, longtemps encore, tiède, sous les petites falaises de Fleuriade. Les bêtes familières de ce lieu d'amitié y trouveront un abri pendant la mauvaise saison. J'irai là chaque après-midi et je chaufferai mon vieux dos contre le rocher.

10 octobre. Le berger m'a parlé. Il m'a confirmé que l'hiver serait froid.

15 octobre. Dans la pièce d'entrée de Belles-Tuiles, en face de la porte, à un mètre du sol, il y a une niche. Elle s'ouvre dans le rocher qui, en ce point, sert de paroi. Le rocher lui-même est creusé. J'ai passé mon bras armé d'une bougie, dans cette excavation. Cela ressemble à une grotte. L'ouverture de la niche est trop étroite pour que l'on puisse s'y glisser. J'ignore à quoi jamais a pu servir ce trou. Je l'ai voilé au moyen d'un petit rideau de cotonnade.

20 octobre. Le berger revient presque tous les jours dans ce quartier.

Il s'assied et contemple Belles-Tuiles. Que surveille-t-il ?

De nouveau, je lui ai parlé. Il écoute, se tait, regarde au loin.

Il m'a appris cependant que le petit-fils de ses maîtres, à la Saturnine, s'appelle Constantin Gloriot.

24 octobre. Je ne suis qu'un vieil homme solitaire et qui porte en soi un vieux cœur où est passé bien du sang, un fleuve, depuis tant d'années ; mais rien ne l'a usé, ce cœur ; il aime encore.

Appeler, espérer, attendre...

J'ai regardé longtemps avec passion le même brin d'herbe, la même fleur, les mêmes yeux. Je les ai vus céder aux puissances de cette attention insensée, croître, éclore, obéir. Mais en ai-je reçu quelque signe d'amour ?

Je sens partout en ce moment la montée des orages. La terre va bientôt livrer au ciel les réserves de vie électrique qu'elle a accumulées pendant les chaleurs de l'été. L'air devient lourd ; les pierres mêmes de Belles-Tuiles entrent en contact avec l'esprit des tempêtes.

Elles vibrent.

Puissance du jardin de montagne, à l'heure où défaillent les sèves, toi, si sensible aux soins que déjà, pendant l'été, j'ai donnés à la terre, tu vas fermenter sourdement, sous ta mince couche de tuf et d'argile ; et tu me rendras ce paradis. Tous les arbres, toutes les bêtes ! Il n'en manquera point à Fleuriade !

Mais quel Dieu gardera la porte du Jardin ?

L'abbé Chichambre a écrit au bas de cette page :

« Oui, quel Dieu ?... »

26 octobre. L'orage s'est levé tout à coup de l'Ouest vers dix heures du soir. Il a tonné toute la nuit. Les éclairs balayaient les crêtes. Des torrents d'eau. Un peu après minuit, une accalmie. Le vent est tombé, la pluie a cessé, la foudre s'est tue. Alors j'ai entendu, au-dessus de Fleuriade, mais très loin, un glapissement bref. C'était le renard. L'orage a repris aussitôt après.

3 novembre. Ce matin, de la gelée blanche. Il fait déjà froid. J'ai pensé en m'éveillant aux pays de la mer. L'âne grelottait. Je lui ai mis des braies. Ainsi fagoté il me semble un peu ridicule, mais il a chaud.

Quelquefois je le regarde à la dérobée. C'est l'âne d'une vieille race d'hommes, réservé, réticent. Je crois qu'il m'aime. Je ne l'ai pas soumis ; je l'ai convaincu.

Il me vient de l'abbé Chichambre, qui l'a acheté, pour moi, d'une espèce de braconnier, Firmin. L'abbé m'a dit : « Il obéit à la parole ; ça fera votre affaire. »

L'abbé Chichambre aime les bêtes. Il élève des colombes.

Là-dessous, l'abbé Chichambre a écrit :

« C'est vrai. »

16 novembre. Le vent souffle en tempête. Il y a aujourd'hui soixante-douze ans que je suis né. Ce sont de rudes Constellations que celles de ce mois cruel. Elles m'ont secoué, nuit et jour, depuis tant de Novembres, mais n'ont pu arracher de mon être une seule parcelle de sa force. Je vis. Toute ma pensée est en moi, encore en moi. Je créerai le jardin. Bientôt, par lui, quand l'hiver sévira, je travaillerai en secret l'esprit de la Terre. L'hiver !... Je ne puis le haïr : c'est la saison des serres tièdes et des vieux sortilèges, des dieux qui naissent sous la neige close, des prières. Je l'attends.

Le journal de l'hiver est très mutilé. A peine quelques notes :

6 décembre. Il a neigé. Le renard a encore glapi, cette nuit, vers une heure, près de la maison.

21 décembre. La plaine est blanche de verglas. La neige coupe le chemin entre Belles-Tuiles et le village. Mais Fleuriade reste tiède : Les bêtes viennent s'y chauffer. Fleuriade est à part au milieu de l'hiver. La neige y fond à peine tombée ; et l'eau n'y gèle pas.

6 janvier. Année II du Nouveau Jardin. Ce matin, en me levant, devant ma porte, j'ai trouvé un lièvre à moitié mangé.

15 janvier. L'âne a pu descendre jusqu'au presby-tère. C'est la deuxième fois depuis la Noël. L'abbé était inquiet, je crois.

Février (sans date). Le renard rôde depuis quinze jours. J'ai reconnu ses traces dans la neige. Je l'ai guetté, mais je n'ai pas pu le voir.
D'après les marques, c'est une forte bête.

20 février. La neige fond de tous côtés. Du Sud, par-dessus les collines, depuis deux jours, la mer nous envoie, vers quatre heures de l'après-midi, la pointe toute douce d'une brise.

20 mars. L'hiver est fini, la terre tremble. Le sol a

craqué vers dix heures, le vent d'Ouest s'est tu, la maison a viré de bord, et dehors une bête a crié.

Je sens la poussée souterraine : l'eau, la sève, le feu central et cet esprit du sang jailli je ne sais d'où et qui gonfle déjà mes vieilles veines. Je me penche, j'écoute. Partout des pas légers, partout le piétinement des bêtes qui s'éveillent, le souffle des naseaux, l'odeur des peaux sauvages, du poil humide des plumes aérées, partout la graine qui travaille, la racine qui repart, le tronc qui pivote, l'écorce qui se fend, et la tête du paradis qui perce le sol du jardin.

23 mars. En trois jours, j'ai vu accourir toutes les bêtes que j'aimais, mes amis de l'automne, même le hérisson, même le sanglier. Il n'en manque pas une. Plus familières que jamais. Plusieurs, encore engagées dans leur sommeil d'hiver ; elles se laissent approcher.

Elles sentent le terrier et la feuille morte.

24 mars. Sur toute l'étendue de Fleuriade le jardin a crevé le sol. Il monte. Surtout la nuit. Les racines déchirent le tuf, et déjà que de belles branches ! A mon appel l'esprit de la Terre a parlé. Les germinations fermentent. Leur croissance tient du miracle. La terre se gonfle.

25 mars. J'ai trouvé, ce matin, devant la grotte de Fleuriade, deux ramiers égorgés. Le mâle et la femelle. Le poitrail ouvert, les entrailles dévorées. Leurs pauvres restes gisaient sur le bord du bassin. Ils ont été surpris pendant qu'ils buvaient, à l'aube. Le sang était encore frais.

26 mars. Il y a un enfant qui vient tous les jours au pont de la Gayolle. J'y descends depuis une semaine, en quête de champignons. Et toutes les fois, il est là. Il se tient de l'autre côté du pont, assis sur le parapet.

27 mars. Encore un meurtre. Des plumes de geai éparpillées, toujours près du bassin ; mais pas de sang. Il a peut-être manqué son coup.

28 mars. J'ai revu l'enfant, hier soir. Je l'ai observé pendant près d'une heure. Quelquefois il s'avance jusqu'au milieu du pont, puis s'arrête. Il ne joue pas. De camarades, point. Il reste seul. Le lieu n'est guère passant. Il a l'air d'attendre, fasciné par l'autre rive, celle où commence la montagne. J'étais trop loin pour distinguer les traits de sa figure.

30 mars. D'abord j'ai cru aux méfaits d'un serpent. Mais des serpents, il y en a trois maintenant à Fleuriade ; deux couleuvres à collier et une bicolore, vert et jaune. Toutes trois inoffensives et qui vivent, glissent, sommeillent, au milieu des oiseaux. Le blaireau est domestiqué ; fouine, martre, de même. Seul le renard se tient à l'écart. Il ne répond pas à l'appel.

31 mars. L'enfant vient toujours au pont de la Gayolle. J'ai voulu m'approcher de lui, hier, mais il m'a aperçu de loin, dans le pré, et il a disparu.

1ᵉʳ avril. J'ai fait un pacte avec la Terre. Aux pays lointains de la mer, de vieux hommes m'ont initié aux mystères. Je connais peu de choses, mais je possède quelques Mots, les Maîtres Mots.

Mon souffle, je le conduis bien ; mon cœur, il bat selon la plus pure mesure ; partout je condense la vie ; je la décuple. Elle vient de répondre à mon appel :

bêtes et plantes m'obéissent. Je les aime. Mais pourquoi le renard ne s'est-il pas rendu ?

Pourquoi vient-il tuer jusque dans le Jardin de Fleuriade ? Car c'est lui. Faut-il le tuer à son tour ? Tuer ?...

Non.

L'abbé Chichambre :

« Voilà. »

2 avril. Il fait chaud. Les vents doux affluent continuellement de la mer, mais si légers qu'ils n'amènent que de petits nuages, çà et là.

Cette année, la précocité de la chaleur est étrange. A peine touchons-nous aux lisières du printemps que déjà les premières journées d'avril ont la saveur de l'été.

En ce pays où d'habitude le froid persiste, toutes les pentes des collines ruissellent de sources et se couvrent de fleurs.

Nuits tièdes. Je reste assis, devant la maison, longtemps, comme en juillet.

Hier soir en bas, sur le bord de la route qui va de Rochegalade à Peïrouré, un feu de campement s'est allumé, vers neuf heures. Il a brûlé jusqu'à minuit.

3 avril. Le renard a tué.

4 avril. Je sais qui est l'enfant. Ce soir, je l'ai surpris qui parlait avec Anselme, le berger de La Saturnine. C'est le petit-fils de ses maîtres. Ils sont partis ensemble.

5 avril. Les bêtes ont peur. Cependant j'ai éloigné

le renard de Fleuriade. Il n'y entrera plus, je crois ; mais il rôde autour.

J'ai beau le guetter, jamais je n'arrive à le surprendre. Mais les bêtes le flairent. Alors elles s'inquiètent. Leurs timidités, leurs sursauts, leurs mouvements de fuite, au moindre bruit, me navrent. Je les appelle, je leur parle, je les calme. Mais dès que je m'éloigne un peu, la crainte les agite. Le souci de leur vie déjà les détourne de m'aimer. Je les protège : elles le comprennent, mais leurs yeux ne sont plus aussi libres ; elles doutent obscurément de mes pouvoirs.

Je souffre.

Au milieu du jardin, je me sens seul, et dévoré d'amour.

Ces bêtes, je les aime. Mais je hais le renard, et ma haine me désespère.

J'en ai peur, de ma haine ; elle monte, devient plus chaude. S'il cédait seulement... Je crois qu'il serait temps encore, que je puis oublier, l'aimer un peu...

Mais je le devine fermé à l'amitié du vieil homme, obstiné dans le meurtre ; et il se dérobe.

En dehors du jardin, loin de moi, le blaireau chasse, peut-être ; mais dans l'enclos de Fleuriade le pacte est observé...

Le refus d'une bête !...

Faut-il que ce refus menace l'avenir du Pays d'innocence ? Pour l'honneur de la Vie, n'importe-t-il pas qu'en ces lieux, à Fleuriade, s'établisse et prospère un coin issu du Paradis. Car le Paradis est sous terre, le vieux Jardin d'Adam, englouti après le péché, intact. Depuis des milliers d'années partout, de la pointe des arbres, il travaille l'argile humaine, sans réussir à la briser. J'ai dégagé ses hautes branches, ici, dans le verger de Fleuriade. Il a jailli.

A peine une terre plus tendre, à peine un enclos pour l'amour et si étroit !

Mais il suffit à ma vieille espérance. Bientôt, sans doute, ailleurs la terre craquera aussi. Dois-je abandonner ces prémices ? Rendre ce bonheur au néant ? Et si je m'y obstine encore, puis-je demeurer ici sans amour, y régner avec la charge d'une haine, fût-elle d'une seule haine, et légitime ?

Je suis déjà trop seul, trop vieux aussi, n'est-ce pas ?

Ah ! cet enfant du pont, qu'il vienne ! Je le veux ! J'irai lui ouvrir le Jardin, je lui livrerai l'amitié des bêtes. Un jour, peut-être lui léguerai-je les Pouvoirs, le Souffle juste ; et il t'agrandira, Promesse !...

6 avril. Le renard a tué.

Hier soir, le campement s'est déplacé vers l'Ouest, le long du chemin vicinal qui mène ici.

Sans doute des Caraques, en route pour les Saintes-Maries. Ils s'y rendent par petites étapes. Ils ont le temps : la fête ne tombe que le 24 mai. On les reverra à la fin du mois d'août, à l'époque du second pèlerinage.

Trois ou quatre voitures, des chevaux au piquet et, vers neuf heures, toujours ce feu.

Aujourd'hui l'enfant n'est pas venu au pont. Fleuriade monte, s'épanouit, étend sa corbeille de fleurs d'heure en heure.

L'air continue à être chaud comme en été.

7 avril. Le renard a tué.

Le campement s'est encore déplacé ; mais il reste assez éloigné de Belles-Tuiles. Un bon kilomètre.

Demain j'irai le voir.

8 avril. J'ai attendu la nuit et j'ai pu m'approcher du campement sans être vu.

Autour du feu, une dizaine de Caraques, hommes et femmes, accroupis dans l'herbe.

Debout à l'écart une fille vêtue de noir.

De ma vie je n'ai vu tel visage : une peau bistrée, un nez mince et, sous des cheveux de jais, un front bas, étroit, têtu, mais sans bestialité.

Le corps, un seul jet de chair sombre.

Le feu brûlait paisiblement.

Assis sur un tapis, seul, un vieil homme silencieux.

Derrière lui, adossé à un arbre, une sorte de colosse.

Personne ne bougeait.

Dans le groupe des femmes une voix s'est mise à chanter doucement. Des sons gutturaux, tristes.

Je me suis retiré sans faire de bruit quand le feu s'est éteint.

Le renard a encore tué, mais l'enfant est revenu au pont de la Gayolle.

9 avril. L'abbé est monté à Belles-Tuiles.

Je l'ai vu surgir à onze heures. Tout noir, sans chapeau, en plein soleil. D'abord il s'est arrêté sur l'aire et il a regardé autour de lui ; puis il s'est dirigé vers la maison. Là il m'a appelé.

Je suis sorti. Il m'a tendu la main. Nous nous sommes assis sous la tonnelle et nous avons parlé de l'hiver. Il faisait bon, l'air sentait le bourgeon et la jeune vigne. En bas on découvrait toute l'étendue de la plaine, jusqu'au fleuve, où traînaient encore des buées.

L'abbé m'a parlé de l'âne.

— Savez-vous, m'a-t-il raconté, qu'au village on l'a surnommé « Culotte ».

Je l'ignorais. Nous avons bien ri.

— Il ne faudrait pas qu'il en souffre, ai-je répondu.

Il a fait un geste :

— J'y veille.

Il paraissait de très bonne humeur.

— Je n'ai encore jamais vu, m'a-t-il dit, depuis
quinze ans, pareille matinée. Cette fois, le printemps
nous paie de l'hiver. Ici, pour vous, il a dû être rude,
n'est-ce pas ?

Je secouai la tête.

— Venez, vous allez voir...

Nous nous sommes levés et je l'ai conduit jusqu'à
Fleuriade. Devant la porte de l'enclos, il s'est arrêté,
frappé de stupeur.

Le jardin était là, le jardin fou, jailli, le paradis éclos
en trois semaines, là, devant lui, avec ses beaux arbres
tout frais, qui nous dépassaient de quatre coudées
franches, et des oiseaux à pleines branches et qui
chantaient, la gorge dans le vent. Les amandiers
embaumaient l'air.

Il a posé sa grande main sur le pilier droit de la
porte et il a regardé. Longtemps.

Il ne disait rien. J'étais heureux.

Ici l'abbé Chichambre a écrit :

« Moi aussi, j'étais heureux. »

Sans date. ...Je suis retourné au campement. J'ai
brisé le cercle. Ai-je eu tort ?

Je suis arrivé, en bas, un peu après neuf heures. Le
cercle, comme d'habitude, était formé.

Réunis autour du feu, ils ont l'air de participer à
quelque étrange culte. Certes les rites mystérieux ne
sont pas faits pour m'étonner. Cependant j'ignore le
secret de ces hommes. Ils semblent adorer le feu ; mais
pourquoi cette adoration ? Quel lien d'eux à la
flamme ?

Ils se tiennent gravement à quelque distance du
foyer. Et de temps à autre, une voix chante cette

mélopée rauque dont la tristesse déjà hier m'avait saisi.

Le vieux, le colosse, la fille, occupaient leurs places habituelles.

Mais il y avait un personnage nouveau, assis par terre, entre le feu et les assistants. Près de lui, une grande corbeille d'osier recouverte d'une étoffe rouge.

Cet homme, plus chétif que les Caraques, me parut d'une autre race. Cependant il se mit à parler dans leur langue. Quelquefois, il faisait un geste, montrait la corbeille du doigt, puis il se tournait vers le vieux, le Chef sans doute.

Le vieux écoutait en silence.

Derrière le cercle des hommes accroupis, peu à peu, venant des voitures, s'étaient rassemblés quelques femmes et des groupes d'enfants en haillons.

L'homme se tut.

La fille s'avança et lui posa une question. L'homme hocha la tête et regarda le vieux, comme pour l'interroger. Le vieux fit un signe d'acquiescement.

La fille s'éloigna.

L'homme tira une flûte de sa ceinture, l'approcha de ses lèvres, enfla ses joues, et sur un son aigu déchira l'air.

Trois notes. Je les reconnus.

L'étoffe qui couvrait le panier se gonfla, ondula un peu, et lentement une tête en sortit, d'abord hésitante. Puis elle oscilla, de droite à gauche, le col se tendit vers la terre, et la bête se coula sur le sol. Elle glissa silencieusement sur l'herbe, s'enroula non loin du feu et, le col en l'air, la tête horizontale, elle regarda les hommes.

C'était un énorme serpent hamadryas, un mangeur, le géant de la race. Je le connais bien. Une ou deux fois déjà je l'ai affronté. Un monstre

Je ne pus m'empêcher de frissonner.

— Ils sont fous, pensais-je. Celui-là, croient-ils longtemps le manier ?

A la vue du serpent, l'homme avait hésité un peu, puis il s'était remis à jouer.

L'homme jouait cinq notes d'inégale hauteur, d'inégale durée, mais il me parut qu'il les jouait mal. Je les connais à merveille. Quand elles tombaient juste la bête s'immobilisait, touchée. Mais souvent, comme pris d'une crainte, il les pressait trop, haletant.

Alors la bête rejetait en arrière, étonnée, son col qui se gonflait de colère.

D'autres fois, le souffle chétif arrivait avec peine aux bouches de la flûte où le son expirait.

Et alors la bête sifflait orgueilleusement.

— Il ne la tient pas, pensais-je.

Mais il s'entêtait et sa mélopée indécise commençait à irriter les esprits aigus du serpent, si sensibles aux délices de la perfection. Je les sentais, sous le choc de ces petites injures, s'échauffer par degré, se délier des fils de la musique, s'exalter et troubler cette terrible tête plate où déjà affluaient les fureurs du poison.

L'homme, les yeux écarquillés, fixait la bête et son front ruisselait de sueur. Il s'acharnait.

Les Caraques, flairant quelque diablerie, s'agitaient, mais n'osaient pas abandonner le cercle, et je voyais çà et là leurs yeux luisants où la peur commençait à battre.

Fascinés par le jeu insidieux du serpent qui peu à peu se déplaçait, d'instinct, ils s'étaient rapprochés les uns des autres et, épaule contre épaule, ils semblaient contempler quelque danse secrète de la mort.

Car le serpent ne rampait plus. Il roulait sur lui-même, insensiblement. Par ondes dénouées, fluant sur ses anneaux perfides, sa masse gluante glissait vers les hommes, et quelquefois, ivre d'orgueil, il dardait le double fil de sa langue.

Déjà, la gencive agacée, il voulait mordre. Noir, gonflé de vie, son dos musclé frémissait de désobéissance. Il s'était détaché des séductions d'une musique imparfaite qui maintenant exaltait son impatience, réglait la marche sinueuse de la mort.

Car le serpent se dirigeait vers le vieil homme.

Immobile, les yeux baissés, celui-ci paraissait ne rien entendre, ne rien voir.

Tout à coup le serpent se déroula et, avec une rapidité effrayante, il pointa son museau triangulaire à quelques pouces de la gorge du vieillard.

Mais le vieillard ne broncha pas.

Il souleva enfin ses paupières et il regarda tranquillement la bête la plus vieille du monde.

C'était un petit homme triste. Dans une figure bistrée éclataient deux taches blanches. Là vivait son regard. On rencontrait d'abord une surface d'ombre puis, en retrait, la vie de ces deux prunelles inexorables.

Pour lors elles dirigeaient sur le monstre un regard désabusé. De lui, de l'homme, il ne restait plus que deux yeux, ces deux froides lumières. Ni peur ni défi. Ils étaient purs.

La tête du serpent recula, vaniteuse et blessée.

Le vieil homme baissa les yeux avec mépris et redescendit en lui-même.

La bête ébaucha un mouvement de recul, glissa en arrière, s'enroula près du feu et attendit.

Le joueur avait arrêté sa musique. La flûte encore suspendue à ses lèvres, les deux bras soulevés, il regardait le serpent avec terreur.

Le serpent paraissait souffrir. Il ne bougeait plus.

Tout à coup, à travers le feu un corps s'élança.

D'un air de défi, la fille était tombée à deux pas du monstre humilié.

Le serpent, surpris, souleva d'abord son col, hésita, regarda cette nouvelle figure, qui se mit à ricaner...

Un cri !...

Le serpent, d'une détente foudroyante, avait lancé en avant son coup de fouet et, saisissant dans ses anneaux les jambes de la fille, il les noua. Puis rapidement il lia les bras contre les hanches, laça deux anneaux visqueux autour du cou, et posa son capuchon éclatant de colère entre les seins. Les crochets mortels étincelaient.

Sur ce corps durci par l'orgueil, du haut en bas de cette chair mince et encore tiède, le serpent faisait onduler voluptueusement ses muscles noirs. Sous cette caresse funèbre, la fille, le menton relevé, ne bougeait plus.

Le vieillard n'avait pas bronché. Retombé en lui-même, il ne voyait rien.

Toutes les poitrines craquaient. J'entendais la respiration rauque du charmeur. Il murmura un mot, sans doute un aveu d'impuissance.

Je n'y tins plus.

D'un coup de pied j'écartai deux Caraques. Je franchis le cercle, arrachai des mains du charmeur son inutile flûte, bondis vers le feu.

La bête s'immobilisa.

Je haletais, moi aussi ; mais je savais !

Je soufflai d'abord avec douceur dans le plus grand roseau, très bas, en m'efforçant de toucher le ton juste, de pousser seulement la colonne d'air rituelle. Et il en sortit l'appel le plus grave, le nom musical de la Terre, de la vieille Terre du Déluge, qui hante l'âme des serpents. Puis, avec un peu plus d'insistance, je repris ce son qui traînait au ras du sol et je l'enflai. Je l'augmentai à peine, de façon qu'il restât flottant près de l'humus humide et pût ainsi recevoir un esprit. Et alors j'y insinuai une bulle d'air, une, mais frémissante, la part secrète, le souffle de la Mère. Car c'est vers Elle que je l'attirais. J'avais ramassé mes démons, en moi, contre moi-même, et, sous leurs efforts, tous les tendons de ma chair vivante vibraient à se rompre. Mais déjà je tenais la voix, je la dégageais du non-être, et l'appel de la Terre commençait à troubler le fils amer et triste du limon.

Pour le ressaisir (et je connaissais ce côté du mystère), pour calmer sa rage de mordre, il n'y avait plus dans les Nombres qu'une seule note, celle-là. On ne la joue jamais, car il est rare qu'on puisse l'atteindre, tant elle sommeille dans la profondeur, et quand miraculeusement on l'a déliée du silence, on ne sait plus jusqu'où peuvent s'étendre ses ondes et leurs ébranlements. C'est la puissance même de l'abîme.

La bête l'avait entendue.

Je le vis, à l'immobilité soudaine de son dos. Je respirai. Mais je ne lâchai pas le son. Je le prolongeai. Je le retins. Il passait en moi, sourd et sombre, montant des profondeurs du monde, et à peine perceptible. Mais moi, je le sentais qui vibrait en raclant mes nerfs le long de la colonne vertébrale jusqu'à ma nuque qui tremblait.

Le serpent avait relâché son étreinte. Ses anneaux amollis se déliaient ; ils coulaient le long de ce corps coagulé d'horreur, et bientôt, presque flasque, la bête s'écroula sur le sol.

Pendant quelques minutes elle y remua doucement. Inquiète, elle flaira le vent çà et là, puis tout à coup elle saisit le fil et alors elle rampa vers moi, avec prudence.

Je me reculai peu à peu vers le charmeur pétrifié Puis je m'arrêtai près de lui.

La bête se déroula tout entière et s'aplatit sur
l'herbe.

D'un bond je sautai hors du cercle, dans l'ombre, et
je courus.

Pendant un moment je m'enfuis au hasard. Ensuite
je me dirigeai vers Belles-Tuiles.

Quand j'y arrivai, je me laissai tomber sur le banc,
devant la porte de la maison.

Je m'aperçus alors que je tenais un objet à la main.
C'était la flûte à cinq roseaux. Je la regardai.

Le grand roseau était brisé, celui où avait passé
l'esprit de la Terre.

Je suis resté là un moment, rompu. Il pouvait être
onze heures. La lune s'est levée alors.

Partout autour de moi régnait le silence. Quelquefois du verger de Fleuriade arrivait un frémissement
d'ailes, un froissement de feuilles. La nuit était tiède.
Déjà la clarté de la lune illuminait la façade de la
maison et la blancheur de l'aire. La paix remontait peu
à peu dans mon cœur.

J'étais doucement repris par la candeur du site.
Tout près, derrière moi, avec mes bêtes familières, je
sentais l'amitié de mes arbres et la présence du refuge
Cependant l'inquiétude tourmentait sourdement les
parties mal éclairées de mon âme, et je pensais à la
puissance de la Terre.

Je l'avais appelée et elle m'avait répondu. Sa voix
avait soufflé dans ma bouche, une voix tiède, humide,
et puis ce souffle m'avait quitté. Mais il continuerait à
vivre, je le savais, encore quelque temps, en dehors de
moi, au ras du silence. Pour l'instant, obscur et
redoutable, il rampait à travers la campagne, car s'il
dompte la colère des bêtes, il les arrache aussi de leur
torpeur, et alors que peut-on prévoir ?

Cependant la nuit demeurait aussi douce sur les collines et rien n'indiquait autour de moi, que la paix dût bientôt en être troublée.

En bas le feu s'était éteint chez les Caraques. Dans tous les villages de la plaine pas une lampe. J'étais bien seul.

Je me sentis si las, que je décidai d'aller dormir, et je me levai.

C'est alors que je remarquai, au centre de l'aire, quelque chose de noir. Cela bougeait. Je m'approchai un peu.

La chose se dressa. Je reculai d'horreur.

D'abord je ne voulus pas y croire. Cependant c'était lui. La lune éblouissante battait l'aire, au milieu de laquelle le serpent s'était arrêté. Je le voyais bien. Il me regardait.

Je battis en retraite vers la maison. Il se mit à ramper.

La porte était fermée. Le dos contre le battant, je ne quittais pas le monstre des yeux. Lui, il me regardait toujours. Maintenant il se tenait tout près de moi, immobile, et j'eus soudain la sensation obscure qu'il m'aimait.

Sans me retourner, en passant ma main derrière mon dos, j'ouvris la porte. J'hésitai une seconde, et puis, à reculons, j'entrai dans la pièce. Mais la bête ne me suivit pas.

Elle s'était dressée à demi et se balançait lentement en pleine lune, dans l'encadrement de la porte, juste devant le seuil. Dans ce cadre, sous cette clarté elle se détachait comme un esprit flexible en proie à la curiosité. De toute évidence, c'était le génie de la Mort.

Je sifflai doucement. Et le serpent passa le seuil.

Note de l'abbé Chichambre. Ces pages datées du 10 avril, ont été rédigées plus tard. Il n'est que de les

rapprocher de celles qui les précèdent et de celles qui
les suivent. On sent le recul. Sans doute M. Cyprien
était-il trop ému ce soir-là pour confier à son journal le récit d'événements aussi extraordinaires, immédiatement après y avoir participé et alors qu'un
hôte redoutable venait de s'installer dans sa maison.

Toutefois son émotion, si elle persista, n'avait pas
encore assombri son cœur, lorsque je montai le
9 avril, à Belles-Tuiles.

Je ne vis alors sur son visage que l'expression du
plein bonheur. Tout là-haut respirait la paix. Pas de
serpent.

Je me suis demandé après coup ce qu'il y avait de
vrai, dans le récit de cette nuit mémorable. J'en ai
parlé ces jours-ci à Firmin. Firmin braconne. Il rôde
toutes les nuits sur les collines ; il est curieux, secret. Il
eût été bien extraordinaire que ce feu de campement
ne l'eût pas attiré. Il déteste les Caraques. Je ne sais
pourquoi. Il a coutume de dire : « Un beau jour, vous
verrez, ils nous apporteront quelque malheur. » C'est
peut-être la raison pour laquelle, dès qu'apparaît une
tribu, on le voit errer dans les champs, se glisser
derrière les haies, en surveillance.

Comme je m'y attendais, il savait quelque chose. Il
avait assisté à la scène. Il me l'a décrite, telle (ou peu
s'en faut), qu'on peut le lire ci-dessus.

Depuis le temps qu'il les surveille, il connaît toutes
les tribus qui périodiquement campent, deux fois par
an, à Péïrouré, au cours de leur pèlerinage.

Mais celle du 9 avril, il ne l'avait jamais rencontrée.

— C'est certainement une tribu redoutable, m'a-
t-il confié, et qui fatalement devait revenir.

Comme, aujourd'hui encore, je ne découvre aucune
explication plausible à la scène du serpent, je lui ai
demandé son opinion.

— Ils sont sorciers en diable, m'a-t-il dit; mais cette fois quelqu'un avait dû leur faire un mauvais cadeau, un cadeau pour lequel ils ne connaissaient pas de charmes. Qui ? Pourquoi ? Je n'en sais rien. Il n'y avait pas longtemps en tout cas qu'ils possédaient la bête.

Selon lui, ils avaient dû recueillir, dans quelque port de mer, ce charmeur maladroit. Sans doute leur avait-il vanté ses sortilèges. Comme ils sont friands de mystères, ils l'avaient emmené avec eux. Peut-être nourrissaient-ils l'espoir de tirer profit de cet homme, étranger à leur tribu. Ils se méfiaient de lui cependant; et ils n'avaient point tort. Pendant la nuit du 9 avril, peut-être ont-ils voulu expérimenter sa puissance. Elle s'est avérée insuffisante, et ils ont perdu le serpent. Or le serpent leur tenait à cœur (Firmin l'affirme) et c'est pourquoi ils sont revenus. Le vieux Cyprien aussi leur tenait à cœur...

Ce sont là, je l'avoue, des commentaires ingénieux mais qui ne satisfont pas l'esprit. Et d'ailleurs ils n'éclairent en rien la fin de l'histoire. Mais Firmin avait peut-être raison, lorsqu'il m'a dit :

— A quoi sert de chercher des explications ? Ce qu'on a vu, on l'a bien vu. Ce qui a été, a été. Il faut partir de là.

Et c'est vrai. Tout ce qui est venu après est sorti de là : la nuit de Roches-Blanches, la disparition de Cyprien et d'Hyacinthe.

Firmin a ajouté :

— Les Caraques sont revenus à cause du vieil homme et de la bête. Maintenant qu'ils ont appris le chemin de nos collines, on peut craindre toujours de les revoir. Ils ont tâté de cette montagne. Je n'aime pas ça.

Et il avait l'air très contrarié.

Cette montagne occupe en effet toute sa pensée.

Aussi me suis-je demandé de quel œil il avait vu l'intrusion du vieil homme sur ce territoire sacré. A mon allusion, il s'est borné à dire :

— Entre nous, monsieur l'Abbé, il ne l'a pas bien vue. S'il l'avait bien vue, croyez-vous qu'il aurait cherché à l'embellir ? Vous me comprenez...

J'écris cette note à tête reposée longtemps après les événements relatés dans le journal de Cyprien.

Depuis lors les Caraques sont revenus, Hyacinthe s'est enfuie, ainsi que le vieil homme ; et Belles-Tuiles n'est plus qu'une ruine. L'âne lui-même nous a quittés.

Des témoins de ce drame, il ne reste que moi et Constantin.

Les acteurs en ont disparu, mais le drame n'a pas changé de place. Il est toujours là, devant nous, muet.

Sur moi, qui me tiens à l'abri de mon église, les sortilèges ne pouvaient point prendre. Et puis, je connais au moins trois bonnes prières...

Mais Constantin ?

Je crains qu'il n'ait pu oublier, que jamais il n'oublie.

Ce souvenir marquera-t-il tragiquement sa vie ? Car il a été pris directement : *il a vu.*

Quand je relis ce qui est écrit ci-dessus dans le Journal, un trouble me saisit l'âme.

N'était-ce pas, lui (l'enfant), le vrai Paradis ?

Cette idée m'épouvante.

Suite du Journal de M. Cyprien. 13 avril. Depuis cinq jours qu'elle est ici, la bête ne me quitte plus.

Elle s'est installée, dès le premier soir, au fond de la niche qui s'ouvre au-dessus de mon lit, dans la paroi rocheuse. Elle n'en bouge guère de la journée. Un peu avant l'aube, je l'entends : elle vient boire le lait que je lui ai préparé, la veille, dans une jatte de terre. Je la nourris de lait, exclusivement. Elle en est très friande.

A la tombée du jour, elle sort de la niche et glisse paresseusement à travers la chambre, pour aller s'installer au milieu de l'aire. Elle affectionne cet espace nu. Immobile, elle attend le lever de la lune. Dès que celle-ci apparaît, à l'Est, elle lève le col, et commence un dandinement à peine coupé quelquefois par des moments d'extase.

Comme j'aime la douceur de la nuit, je reste là, pendant des heures, assis sous la treille, devant la maison. J'y veillerais jusqu'au matin, à regarder ce grand serpent sauvage qui se balance mystérieusement sous la lune, si, lassé de sa danse rituelle, il ne quittait lui-même le disque éblouissant de l'aire pour venir s'enrouler à mes pieds.

Alors je le vois bien ; il se tient tout près de moi. La tête à la hauteur de mes genoux, de ses yeux fixes, inexpressifs, il me regarde.

Je n'ai jamais baissé les yeux devant les bêtes ; et lui, sans doute, jusqu'à ce jour, il n'a jamais rencontré en face un regard d'homme qui ne tremblât pas, sauf celui du vieux chef des Caraques. Mais ce vieux chef méprisait la mort...

Moi, je ne la méprise pas ; je la hais. Et lui pourtant, le serpent des forêts humides, il est tout chargé du suc de sa puissance. Mais il est aussi, comme moi, le fils de la Terre. Et les fils de la Terre peuvent s'aimer.

J'ai craint d'abord qu'il ne s'éloignât de la maison. Il n'en a guère envie. Quelquefois (mais il faut que le jour soit tombé) il me suit jusqu'à Fleuriade. Il n'en franchit jamais la clôture ; il s'enroule sur l'un des piliers de la porte, et il attend.

Je ne sais si les autres bêtes soupçonnent sa présence à Belles-Tuiles, mais rien ne l'indique.

A Fleuriade, tout continue à prospérer. C'est

maintenant un vrai jardin magique, un bouquet de fleurs et d'oiseaux offert aux vents qui montent doucement de la mer vers le soir ; et, surtout le matin, un lieu de ramages.

Depuis cinq jours, le renard n'a plus tué, du moins aux alentours de Fleuriade. Lui, sans doute, il a flairé la terrible présence. Il se tient sur ses gardes, mais n'a pas désarmé. Car je l'entends quelquefois, la nuit, ricaner, assez loin, du côté de Rochegalade, et ce glapissement me glace le cœur.

Alors j'ai besoin d'innocence. Car le paradis, le jardin, n'est-ce pas avant tout, autour de nous, étendue d'innocence et, en nous, amour frais ?...

Il y a des moments où je me sens si vieux ! plus vieux que le serpent peut-être, et je désespère du paradis.

Combien de temps encore pourrai-je de mes vieilles mains le soutenir, comme une corbeille de fleurs, de fruits et de plumes tièdes, en l'air, au-dessus de la Terre ?

De la Terre qui mange tout...

Pour en prolonger la durée, à qui léguerai-je les Mots, ces Mots magiques dont le murmure bien réglé peut suffire pendant longtemps à le défendre des ténèbres ?

Car il y faut un homme, au cœur de notre paradis. Il n'est point de jardin terrestre sans la beauté de l'homme, si c'est d'abord en lui, à son désir, que se forment les plantes, que s'assemblent les bêtes.

Peut-être mon désir a-t-il faibli ? Je sens que j'ai besoin d'un appui de jeunesse.

Depuis cinq jours, soir et matin, l'enfant revient au pont de la Gayolle. Il s'y attarde, pendant des heures. Il ne quitte plus la montagne des yeux.

14 avril. Le renard a tué, cette nuit, mais loin ; vers

deux heures du matin, j'ai entendu le cri de la bête qu'il égorgeait.

Fleuriade repose en paix, la paix du serpent. On ne le voit pas. Ainsi n'effarouche-t-il point les bêtes apprivoisées.

Quand il sort, par hasard, c'est pour me suivre, mais jamais il ne s'éloigne beaucoup de la maison.

Dès que je dépasse la bordure de l'aire, ou que j'entre dans la garrigue, à l'ouest de Fleuriade, il s'arrête, hésite, puis brusquement vire et regagne l'abri domestique.

Il est énorme. Il doit mesurer à peu près quatre mètres.

Noir et or.

Un Naja bungarus.

D'où l'ont-ils eu ? Pourquoi l'ont-ils amené jusqu'ici ?

C'est une bête calme.

L'âne l'a vu. Le serpent se chauffait sur l'aire, quand l'âne a débouché du chemin.

L'âne s'est arrêté, un peu inquiet. Le serpent a soulevé à peine sa tête narquoise. Je n'ai pas bougé.

L'âne se trouvait en face de moi. Jamais je ne l'avais si bien vu. (Ce n'est pas l'âne des Basses-Terres mais l'âne pastoral, celui qui accompagne les bergers.)

Immobile à peine tenait-il au sol par quatre petits pieds. Il se présentait simplement ; il venait du village.

Devant la bête étrange, l'obstacle inattendu, il réfléchissait. Il a compris qu'il se trouvait en présence de la Mort. Les bêtes comprennent cela tout de suite.

Comme sa mission était de venir jusqu'à moi, il s'est remis en marche à petits pas, a traversé l'aire par le milieu, selon son habitude, en passant à deux pieds du serpent, puis il s'est arrêté devant la porte où je l'attendais.

J'ai déchargé les couffins. Délesté, il est reparti par le même chemin, puis il est allé brouter du côté de Fleuriade.

Comme la nuit tombait, j'ai allumé une lampe.

Je suis triste. Il me faut l'enfant.

15 avril. Il me faut l'enfant.

J'ai voulu le voir de près aujourd'hui. Je suis descendu à la Gayolle vers quatre heures de l'après-midi. Il n'était pas encore arrivé.

J'ai pu ainsi me cacher tout à mon aise, derrière un boqueteau de chênes, près du pont.

Au bout d'un moment, je l'ai aperçu. Il venait du village à travers les pins. Il est allé droit vers le ruisseau et s'est assis sur le parapet, juste au pied du grand peuplier qui marque l'autre rive.

Il n'était qu'à une dizaine de mètres de moi. Je l'ai bien vu.

Il est resté là très longtemps, à califourchon sur la pierre, le dos contre le peuplier.

D'abord j'ai eu la tentation d'aller vers lui ; puis de crainte de l'effaroucher, je suis resté caché dans le buisson.

Il peut avoir une douzaine d'années ; mais déjà grand et fort.

Un petit air sauvage.

Son visage est court, fermé. Tout y décèle la passion. Parfois il se crispe, comme griffé par une souffrance intérieure ; et puis il se détend naïvement.

Entre les yeux et la petite bouche pure, flotte une puissance animale. Elle m'a frappé. Elle apparaît quand la figure est immobile.

Un sang noir. Je connais ce sang, le mien. Il coule aussi dans le corps des bêtes.

Cet enfant doit être sensible aux Prestiges des Charmes…

…Comme le loup, l'épervier, le serpent.

Mais que vais-je penser ? Où est ma tête. Cette petite bête humaine, puis-je l'attirer de la sorte ? Faire agir les Mots, le Ton juste, la Musique, peut-être ? Ai-je le droit de l'asservir ?

Je l'aime, je le sens ; c'est une chose tiède et dure, délicate et terrible, insoumise et fidèle.

C'est mon âme. C'est l'âme des hommes. Mais que sais-je, moi, de l'âme des hommes, de mon âme ?

Déjà sous le serpent j'ai soulevé une force qui me dépasse. Il m'aime, le serpent, mais, pour le dominer, je n'ai plus que cet amour…

Si je veux charmer cet enfant, que proférer ? Quel Mot ? Quel Timbre ?

Et s'il m'obéit, s'il pénètre dans le jardin de Fleuriade, que sera-t-il, là où brûle mon cœur ?

Le serpent, je le sens, lui, me restera fidèle. Mais y a-t-il un fils de l'homme qui soit aussi pur qu'un serpent ?

Et cependant elle est là l'innocence, encore intacte. Vais-je lui fermer le paradis ?

16 avril. J'ai passé la nuit dans l'angoisse. L'image de l'enfant ne m'a pas quitté. Tout le temps, je revoyais, devant moi, sa petite figure sérieuse du pont de la Gayolle.

Le renard, comme hier, a tué, très loin. J'ai été saisi du désir de courir là-haut, sur les crêtes, en pleine nuit, et de l'abattre d'un coup de fusil.

Mais j'ai repoussé ce désir.

Le serpent a dormi toute la nuit. J'étais bien seul.

Pas un bruit sur la montagne. Je suis resté dans ma chambre, sans lampe, la porte ouverte.

La lune est arrivée très tard. Un grand soupir s'est

élevé dans Fleuriade. Un peu de brise a passé à travers
les arbres. Puis tout s'est tu.

J'ai recommencé à souffrir.

Je n'ai plus de secours que de moi-même, depuis
que je me suis tourné du côté de la Terre. C'est elle
que je sers ; et c'est d'elle que je veux dégager le
bonheur. Hélas ! Je ne suis qu'un de ses fils. Du sein
de cette vieille Mère montent à mon appel les arbres et
les bêtes ; mais quel mot de tendresse m'a-t-elle dit ?
Que m'importe tant de puissance si elle n'est liée qu'à
une vie périssable ? Et n'est-elle pas forcément périssable si tant d'amour qui la soutient n'est pas alimenté
par quelque Amour ?

Je m'en irai.

Mais je voudrais sauver cette corbeille d'arbres et
de bêtes apprivoisées. J'y tiens, et sans raison, comme
on tient à l'espoir ; car ce n'est qu'un espoir, l'humble
jardin de Fleuriade ; mais de quelle promesse !...

J'ai besoin de l'enfant.

Je lui léguerai tout. C'en est fait. Il viendra. Plus
cure de ces vains scrupules. Le parti, je l'ai pris. Ma
vieille âme sauvage tremble de désir.

Nuit du 16 avril. Il viendra demain. Le sort en est
jeté.

J'ai tracé l'empreinte magique. Lui, je l'attendrai,
indirectement. Moi-même je ne le puis toucher, ni ne
le veux. Mais il viendra.

Demain, dimanche des Rameaux.

L'âne sera à la Gayolle de bonne heure. Il l'emmè-
nera jusqu'ici. J'ai tout préparé.

Il faut que je fasse une offrande au Dieu de la
plaine. Le Dieu de la plaine est humain, en ce pays.

Il y a au milieu du village une petite église et un
prêtre.

De l'encens, du pur encens mâle, voilà ce que je

donnerai en signe d'amitié, à ce sanctuaire de campagne. L'enfant le portera, demain, en redescendant de Fleuriade.

La nuit s'écoule doucement. Jamais je ne l'ai vue si paisible. La lune vient à peine de se coucher.

De temps à autre, une étoile tombe, du côté de l'Ouest. Nous traversons une pluie d'astres.

Le serpent dort, le jardin ne bouge pas.

Je vais éteindre ma lampe et aller me coucher dehors, à côté de l'aire, dans la folle avoine.

Je ne dormirai pas ; j'attendrai le matin.

17 avril. Note de l'abbé Chichambre.
Constantin est monté à Belles-Tuiles, dans la matinée du 17 avril, jour des Rameaux.

Suite du Journal. 17 avril. Il est venu.
Si je l'avais attiré par les Charmes, il aurait perdu cette dignité. Les Charmes l'auraient dominé. Plus tard, il n'en eût pas été le maître. (On ne perd sa liberté qu'une fois, mais pour toujours.)

Il est venu.

Il est venu de lui-même. Je ne lui ai offert que l'occasion.

Maintenant il a vu Fleuriade, et c'est le charme de Fleuriade qui l'a saisi, la Terre elle-même.

Cela est bien.

Il est reparti ; mais en lui, frais et vivant, remuant de toutes ses branches, il a emporté le Jardin.

Le Jardin parlera.

Enfant étrange. C'est bien celui que j'avais entrevu à la Gayolle : taciturne, tout amour.

Mais sombre et hanté d'un démon.

Il tremblait de bonheur.

Je crois qu'il reviendra. Il suffit de l'attendre

18 avril. Le renard a crié, plus près que d'habitude. Se rapprocherait-il de nouveau de la maison ?

Quelqu'un a rôdé, cette nuit, dans les taillis, près de l'aire. Il pouvait être une heure.

Je suis sorti, mais la lune était déjà couchée, et je n'ai rien vu.

Ce matin, j'ai relevé une trace, devant la porte de la Fleuriade. Un petit pied.

J'avais raison. Ce n'est pas une bête. Mais qui ? Un pied d'enfant.

Est-il revenu, cette nuit ?

Non. Il n'oserait pas ; et puis il s'égarerait, sans doute. La route est longue de Peïrouré à Belles-Tuiles.

Et cependant, quelqu'un est venu.

19 avril. Le renard a tué deux fois.

A la longue, ces cris d'agonie me rendront fou.

Pourquoi ce carnage ? Ne lui ai-je pas ouvert le Jardin ?

Le sang, et l'esprit de refus. C'est quelque chose qui dit : non ! dans cette montagne âpre.

L'anti-paradis. Le mal, la mort.

Ce renard, je pourrais le détruire. L'instrument est là.

Un signe, et l'autre le rendrait au néant.

Mais n'ai-je pas fondé mon dessein sur la vie ?

Ne dois-je pas apprivoiser tous les fils de la Terre ? Et d'elle ne tirer que la paix, que le bonheur ?

Peut-il se commettre un seul meurtre, même de défense, en ce coin, merveilleux mais si petit encore, du Paradis terrestre ?

Non.

Patienter. Attendre.

20 avril. On est revenu, cette nuit. J'ai bien entendu. Un glissement imperceptible.

Ensuite on a ouvert la porte de Fleuriade. Elle a un peu gémi.

Je me suis levé. Cette fois, la lune n'était pas encore tombée. Bien qu'elle atteignît presque au fil de l'horizon, sa clarté éclairait vivement l'aire, les cyprès et la porte du jardin.

Je me suis approché sans bruit, pieds nus, et j'ai vu, au bout de l'allée, près de la grotte, une petite forme claire.

On entendait les gouttelettes d'eau qui tombaient dans la conque ; mais pas un bruit ailleurs.

La petite forme a bougé.

J'étais trop loin pour en distinguer la figure. Cependant ce n'était pas le garçon.

Je n'ai pas osé entrer dans le jardin. Je ne sais pourquoi. Sans doute ai-je craint d'effaroucher ce petit être. Il dansait.

Oh ! à peine !... Un mouvement léger d'enfant joueur, qui se dodeline ; tout à coup arrêté d'un caprice ou d'un ravissement, puis les abandons les plus tendres...

L'air qui venait de Fleuriade était si doux où, parmi les essences de montagne, flottait l'odeur sucrée des quarante amandiers chargés de fleurs...

Mon cœur sautait dans ma poitrine. Je pensais qu'en restant caché près de la porte, je verrais passer devant moi le petit être ailé qui, là-bas, au fond du jardin, sous les arbres, se balançait si lentement, aux derniers rayons de la lune.

Suis-je fou ? pensais-je. La solitude m'a troublé l'esprit.

Mais je ne pouvais plus bouger. Fleuriade m'était fermée par un prodige. Je regardais par-dessus la barrière dans ce domaine en fleurs et créé de mes mains où un autre, depuis deux jours, avait pénétré à mon insu. Et là, pendant que je dormais, il s'enivrait du parfum de mes arbres.

Soudain un avertissement obscur m'a fait tourner la tête.

Au milieu de l'aire, j'ai vu le serpent. Il avait dû sortir peu de temps après moi.

Il m'a fait peur. Il paraissait attendre. J'ai quitté la porte du jardin pour m'avancer vers lui ; mais arrivé à quelques pas, je me suis arrêté et j'ai sifflé.

Il m'a suivi jusqu'à la maison où je suis entré. J'ai refermé avec soin la porte, derrière moi.

Il a regagné paresseusement son abri et je me suis couché, l'oreille en éveil.

Au bout d'un moment j'ai entendu marcher. Quelqu'un est passé devant la maison. Ensuite le pas s'est perdu dans le sentier qui descend vers la plaine.

Le renard a tué un peu plus tard. Ce matin un lièvre gisait, égorgé, à cinquante mètres de la maison.

21 avril. Rien.
Nuit calme.

22 avril. Le renard a tué. L'enfant n'est pas revenu. J'attends.
Cette nuit, j'ai surveillé le jardin, mais sans succès.

23 avril. J'attends. Je continue à vaquer à mes travaux. Aucun oubli, aucune lassitude. Toujours la même application, le même amour.

Mais je sais que j'attends. (Dès qu'on attend, on s'impatiente.) Je ne me hâte point ; mes gestes, mes pensées ne courent pas ; rien, en moi ni hors de moi, ne marque l'impatience ; mais elle m'est sensible.

Le temps est de plus en plus doux à Fleuriade.

24 avril. Il me faut l'enfant. Sans cesse j'ai l'oreille tendue vers le chemin. Personne ne monte.

Viendra-t-il ?

C'est là qu'il s'est assis. Il a vu les arbres, les oiseaux, les cinq lézards ; et je lui ai parlé des bruits de la Terre. Quel ravissement dans ses yeux !

Pourtant il n'est pas revenu. Le retient-on en bas ?

Irai-je ? Était-ce lui le visiteur nocturne ?... Non !... Mais qui ?... J'ai dû rêver...

Ce vieux cœur un peu fou...

Note de l'abbé Chichambre : jour de Pâques.

25 avril. Le renard a tué sur l'aire.

26 avril. Cinq heures du soir. L'enfant ne revient pas.

Prier ?... mais qui ?...

Prier la Terre ?...

Suite du 26 avril. Minuit. Non ! pas d'oraison.

Peut-être le roseau magique...

(Trois notes seulement sur un seul roseau, grave, très tendre ; on dirait un appel de crapaud.)

...Si j'essayais... Mais non ! Dompter les bêtes, soit, mais ce sang, le pur sang de l'homme, est-ce licite ?

...Il viendrait ; je crois qu'il viendrait (il ne pourrait pas résister à l'Incantation).

...Ensuite, là, il serait là, seul, devant moi, possédé !

Oui, mais déchu. Jamais !... Et cependant il serait là... (J'ai peur du sacrilège. Il faudrait que je prie...)

Mais je ne puis pas. A qui m'adresser ? Prier pour rien ?... Par simple amour de la prière ?...

27 avril. Je crains qu'il ne revienne plus. Cette idée de prière me hante. N'est-ce pas aussi une recette magique ?

Quand j'étais enfant, je priais. Moi aussi, j'habitais à la campagne dans une maison isolée, et souvent on m'y laissait seul.

Car ils allaient à la fête.

C'était une grande bâtisse, à l'orée d'un bois, et il y avait au rez-de-chaussée quatorze pièces, toutes pleines de meubles noirs.

Pas de clef à la porte de ma chambre.

Ils éteignaient la lampe en s'en allant. Je n'osais pas me coucher dans l'alcôve. J'attendais, assis sur une chaise.

Parfois l'été, le temps se mettait à l'orage. J'avais peur. Je me disais : « Depuis qu'ils sont partis, quelqu'un marche au rez-de-chaussée, le plancher craque, et sûrement la porte va s'ouvrir toute seule. » Et j'avais envie de changer de chambre.

« Ceux qui rôdent, pensais-je, savent que je suis là. Si j'allais, pour les égarer, me coucher dans le lit de ma mère ? »

Car, même vide, ce lit me tentait. Mais j'étais épouvanté par l'idée qu'en rentrant ma mère m'y trouverait, peut-être endormi...

Je crois bien que l'enfant ne reviendra jamais...

28 avril. 5 heures du soir. L'enfant est dans le jardin. Il est arrivé tout à l'heure. Quand je l'ai entendu marcher dans le chemin creux, je me suis retiré près du puits, derrière la maison, et je l'ai épié.

Il a hésité un moment devant la porte de Fleuriade, qui était fermée. Puis il l'a poussée avec précaution.

Maintenant il est dans le jardin. Je ne l'y ai pas

suivi. Mais je sais qu'il est là. Qu'y est-il venu faire, si tard ?

La nuit tombe.

Il faut que je retourne à Fleuriade.

Note de
Constantin Gloriot

A partir du 28 avril, le *Journal* est interrompu.

L'abbé Chichambre y a ajouté quelques notes. Dans ces notes il a inséré çà et là des passages entiers écrits par M. Cyprien.

Je n'ai pu savoir d'où il les tenait. Ils ne sont pas dans le *Journal*.

Notes de
l'abbé Chichambre

Le 28 avril, dans la soirée, il s'est produit, à Fleuriade, un événement grave.

Je n'ai jamais pu savoir précisément lequel, mais Constantin était là-haut.

Cet événement a eu des conséquences tragiques, d'abord à Belles-Tuiles, ensuite à Peïrouré, chez les Saturnin Gloriot.

Je soupçonne Constantin d'avoir commis une sorte de sacrilège. Peut-être a-t-il enfreint une obscure défense, quelque rite imposé par le vieux Cyprien aux adeptes privilégiés de Fleuriade.

Fait d'autant plus grave que ce bout de paradis terrestre avait été créé à son intention. Il en était l'espoir et le futur maître.

Son infraction a été aussitôt punie. Le soir même du 26 avril, l'exil de Constantin à Costebelle était décidé. Mesure sage, en apparence, mais que j'aurais déconseillée. Car sans doute, s'il fût resté ici, aurais-je fait parler Constantin, en le plaçant sous les puissances de la confession ; et l'aveu qu'il m'eût fait alors, en le libérant des démons de la première heure, nous eût tous éclairés sur la conduite la plus convenable au train de ces événements.

Je dus malheureusement m'absenter pendant plusieurs semaines et j'ignorai le départ de l'enfant. Je ne
l'appris que trois mois plus tard, au cours de cette nuit
où, éveillé par l'étrange bête qu'était l'âne, en compagnie d'Anselme, je découvris l'enfant évanoui mais
sauf, à cent mètres des Pierres-Blanches, là-haut, sous
les crêtes.

De toutes les façons le départ de Constantin fut
malheureux. Tout le monde en souffrit : les siens,
Cyprien et la petite Hyacinthe.

Mais lui, surtout. Nous le connaissions mal, même
moi. Je l'aimais cependant. (Comment ne l'eût-on pas
aimé ?) Lui seul pouvait apaiser Cyprien, retenir
Hyacinthe ; il pouvait tout.

Je ne suis qu'un vieux prêtre incapable de rêveries,
mais j'ose ici porter ce témoignage : à l'orient de cet
enfant peut-être y avait-il alors l'aile d'un ange.

L'œil perçant du vieux Cyprien l'avait-il vue ? On
peut le croire.

Car ce départ, après la douleur que lui apporta ce
que j'ai appelé « le sacrilège », le laissa seul en face de
lui-même ; et il était alors tenté par son plus sûr
démon. Il ne le nomme pas, mais j'ai là, sous les yeux,
quelques pages volantes se référant à cette époque.
Désormais, retranché du monde, indifférent aux
secours du ciel, il se parle à lui-même ; et, dans cette
voix encore émouvante de solitaire à son déclin, tout à
coup vibre le timbre inattendu d'un Autre.

*« Le fruit du Jardin est amer... Une merveille
d'arbres pour les yeux... mais de quelle saveur maintenant ? Que t'a apporté l'innocence ?... L'enfant a
trahi, le renard tue.*

Tu es seul... »

« ... *Pour la première fois depuis tant d'années de luttes et d'épreuves, je sens le goût du fiel...* »

« ... *Tu es seul, comprends bien cela, tu es seul. Cent fois par jour, on te le dit... Assez !...*

« *On n'est vraiment seul qu'à jamais. La solitude n'est pas isolement d'une heure mais désert éternel. Je puis rencontrer demain d'autres hommes ; même en leur compagnie, je serai seul.* »

« *Cette corbeille de printemps que je ne saurais plus transmettre, elle périra...* »

« *Le renard l'aurait-il compris ?... Maintenant il tue avec une fureur accrue. Plus de frein. De tous les côtés il égorge...* »

« *Je crains que l'odeur de tout ce sang versé n'ait déjà atteint Belles-Tuiles et n'y ait troublé le serpent. Je le surveille. Il montre quelquefois de sourdes inquiétudes. Transformation à peine perceptible ; mais je connais les Signes de la bête. Peu à peu ce besoin mystérieux l'énerve : mordre. Je me méfie...* »

Ainsi, au cours de cette période qui va du 29 avril au 30 juillet, Fleuriade voit se former, au sein de ses splendeurs encore intactes, les premiers mouvements qui vont causer sa ruine. Le renard tue, le serpent veut tuer et le vieil homme s'habitue à la pensée du meurtre.

Il en est déjà fasciné. Car à travers son corps miné par l'inquiétude, ébranlé par la déception, la folie de la Terre monte.

Il a capté les courants de la Terre. A ses évocations tenaces, ils se sont peu à peu orientés vers lui. Les violents faisceaux magnétiques qui affluaient à Fleuriade, l'ont atteint, pénétré, envahi, si bien que, privé d'ouvertures célestes, d'issues vers le surnaturel, son âme, sous cette poussée, trop étroite, craque, se fend ; et déjà il connaît le vertige. L'esprit tourne. Le démon parle :

« *S'il faut fatalement qu'il tue (car je ne puis plus l'arrêter), s'il exige une proie, il y a le renard... Ne serait-il pas légitime de conduire le monstre vers la bête cruelle qui a réveillé l'antique désir de la mort !...*

« *Mais le pourrai-je ? Quels pouvoirs ai-je conservés ?*
Des cinq roseaux de la Syrinx magique il ne reste que quatre branches pour les enchantements mineurs.
La plus efficace est brisée.
Peut-être (mais que vais-je dire ? N'est-ce pas évoquer les plus dangereuses bestialités ?)...
Peut-être me rappellerais-je encore la mélopée du grand Rassemblement des bêtes. Son appel est irrésistible. Elles accourent toutes (et c'est ce qui m'effraye...)
Mais aurai-je le Souffle ? Et si je l'ai, quel drame ?...
Jusqu'à ce jour, je n'ai point osé m'en servir. Je n'en veux qu'au renard, et, pour l'avoir en ma puissance, je devrais affronter toutes les bêtes rassemblées... Toutes !...
Rassemblées pour le voir mourir... »

Il a eu le Souffle.
Ce fut au cours de cette même nuit où nous avions trouvé l'enfant, qu'Anselme découvrit, un peu plus tard, un renard égorgé, aux Pierres-Blanches.
Le premier convoi de Nomades (trois feux) passa huit jours après.
Fleuriade et Belles-Tuiles avaient brûlé le 31 juillet,

au soir. Du village, on voyait monter les fumées. Mais personne (pas même moi) ne pensa que le vieux Cyprien venait d'incendier son domaine. Nul n'alla y voir.

Le lendemain matin, je recueillis au presbytère un couple de colombes. Elles y restèrent jusqu'au 15 août.

Je n'eus connaissance du drame qu'après cette date. Pendant trois semaines on n'avait pas revu l'âne. Je m'étonnai qu'il ne fût pas venu, la veille de l'Assomption, m'apporter les dons habituels que le vieil homme ne manquait jamais d'offrir à mon église pour la moindre solennité. Car il aimait nos fêtes, et les plus belles offrandes florales qu'il m'adressait alors étaient toujours destinées à l'autel de la Vierge.

Qu'il eût laissé passer ce jour dédié à sa gloire, sans une fleur, sans un feuillage, m'étonna beaucoup.

Je montai, deux jours après, à Belles-Tuiles. Je n'y trouvai que des ruines. Cyprien avait disparu.

Je ne soufflai mot de ma découverte à personne, sauf à Anselme, qui me dit avoir aperçu, de loin, l'âne errant en liberté dans les collines.

Par la suite il essaya, mais vainement, de l'approcher.

M. Cyprien dans son cœur avait condamné Fleuriade immédiatement après le sacrilège. Dès lors, il était fatal qu'il tuât.

Tout à coup il s'est senti seul et pour jamais. Solitude mauvaise conseillère. En trois mois le démon l'a poussé au meurtre ; le meurtre l'a chassé du jardin. Il a incendié les arbres puis il s'est enfui.

J'imagine alors la violence de son désespoir.

Mais au cours de ces mois de perdition, l'orgueil avait levé une tête puissante ; et sans doute, au secret de son cœur, l'homme ne s'avouait-il pas vaincu. S'il avait détruit Fleuriade, il n'avait pas renoncé à l'idée de son Paradis. Sinon, nous eût-il ravi Hyacinthe ?

Car il nous a ravi Hyacinthe, et malgré elle. Je n'ai pas atteint du premier coup à cette certitude. Maintenant elle a fait son lit en moi ; je suis sûr que M. Cyprien a dressé l'appareil de sa magie contre la petite âme.

Pour séduire l'esprit de Constantin, il n'avait point usé de Charmes. Son amour (si sauvage et si tendre) et je ne sais quel respect presque religieux devant la dignité du mâle, l'en avaient empêché. Il aimait Constantin. Il n'aimait pas Hyacinthe.

Le Journal ne parle point d'elle explicitement. Cependant ne peut-on, à son sujet, faire état de trois notes étranges que j'ai pu recueillir par ailleurs et que je transcris ci-dessous sans y changer une syllabe. Sans doute furent-elles détachées du Journal.

C'est bien toujours la même voix, mais dure maintenant, amère :

FEUILLET 1 :
« *L'homme ne trahit pas. Non. C'est toujours elle.*
Je le savais.
Même un enfant lui cède. Même.
Et puis tout s'écroule.
Pourquoi ?
Un vain caprice... »

FEUILLET 2 :
« *Je suis vieux, j'ai tué.*
Mais je veux essayer quand même, encore une fois,
avant de mourir...
Je bâtirai ailleurs...
Et je léguerai mon domaine...

Lui, ne doit pas mourir... Demain, un autre Fleuriade...

Le meilleur de la Terre... »

FEUILLET 3 :

« *... Je la tiens aussi doucement que je le puis...*

Créature légère... à peine un peu de chair sur l'âme...

... Petite forme pure qui venait en secret danser, la nuit, à Fleuriade...

Il a suffi d'un souffle, trois notes seulement (sur un seul roseau, grave, très tendre ; on dirait un appel de crapaud.)

Maintenant je la tiens, oui. Elle me suivra partout. Il le faut, sans doute.

Mais je ne lui apporte pas le Bonheur (le bonheur il était pour l'autre, que j'aimais).

Et cependant quelle merveilleuse fortune...

Je lui donnerai la Puissance, en dépit d'elle, sans cette liberté d'une âme libre, hélas ! (mais je ne le puis plus ; car j'ai souffert, et Fleuriade est mort d'une âme libre).

... Ensuite le Jardin. Lui !

(Je n'ai pas le choix ; désormais il ne me reste qu'elle ; je dois la leur arracher sans tarder ; demain il serait trop tard.)

... Enfin je l'instruirai dans l'Art majeur ; je l'initierai aux Formules du Rituel.

Elle possédera les Charmes et quelques Mélopées évocatoires...

... Sauf une : l'Incantation-Mère, que seule peut souffler bouche d'homme, et qui enchante l'eau latente, l'air souterrain ; qui trouble aussi la tête des serpents...

Cette Incantation, je la garde, cachée, en moi, à l'abri de toute confidence.

J'en userai une dernière fois, peut-être, un jour, si je reviens, avant de mourir... »

Du vieux créateur du Jardin ce sont là, pour nous, les dernières paroles, l'adieu peut-être.

J'ai rapproché les trois feuillets où elles sont inscrites. Je crois qu'il n'était pas déraisonnable de le faire. Ainsi placés, ils s'éclairent l'un l'autre, et d'une clarté assez vive pour dissiper un peu de ces ombres.

Les figures inquiétantes qui alors se sont détachées de ces ténèbres, m'ont averti à leur façon que, du drame subi par nous, quelque fatalité avait pu dégager ensuite un autre drame, effet de ces prolongements que comportent les jeux funestes de l'homme.

Mais moi, prêtre, ai-je le droit de révéler ce qu'a pu entrevoir alors ma faible prévoyance d'homme, naturellement sujette à l'erreur ; et déceler ainsi, peut-être, les mouvements d'un cœur qui, depuis très longtemps, ne saurait (ou du moins ne devrait) s'accorder aux passions de la Terre ?

Je ne le crois pas. *Invitus dixi, taceo libens.*

Les Gloriot partirent vers la mi-août, emmenant Constantin. Anselme, Brigitte et Hyacinthe restèrent seuls dans la grande maison de Peïrouré.

L'hiver fut dur. La neige descendit tout près du village. Je m'inquiétai souvent de l'âne. Quelquefois j'allais plus loin que le pont de la Gayolle, me dégourdir les jambes, car j'aime marcher et le froid qui pique la peau me fait du bien. Une fois, je rencontrai Hyacinthe qui descendait par le chemin de Belles-Tuiles. A ma vue, elle s'enfuit en courant dans le boqueteau.

Quelques jours après elle tomba gravement malade. La pneumonie faillit l'emporter. Madame Saturnine vint la soigner elle-même. J'allai la voir et lui appris tout ce que je savais sur Hyacinthe. Je me souviens que c'était en décembre, le soir, après le dîner. Une bise âpre soufflait dehors et nous nous tenions près du feu. Madame Gloriot ne parlait pas.

— C'est en allant là-haut qu'elle a pris froid, lui dis-je. Elle y montait au moins une fois par semaine. Quand elle sera guérie, éloignez-la de Peïrouré.

— Je ne puis l'emmener, me répondit-elle. Constantin ne l'aime pas. Il la ferait souffrir...

Je hochai la tête. Je doutai de l'antipathie de Constantin. Elle en parut étonnée.

— Eh ! lui dis-je, rien ne m'ôtera de l'esprit que lors de votre maladie...

Et je lui exprimai mon opinion. Elle m'assura qu'elle tirerait cela au clair.

Hyacinthe par miracle échappa à la mort. On l'envoya se rétablir chez les cousins de Costebelle, où elle fit une paisible convalescence.

*Fin du récit
de Constantin Gloriot*

Les notes de l'abbé Chichambre s'arrêtent brusquement sur la mention de cette convalescence.

Les événements qui suivirent, et dont la gravité dut certainement l'émouvoir, restent sans commentaires. Il ne semble pas que l'abbé ait poussé plus loin ses recherches.

Et cependant peu à peu je me suis convaincu qu'il avait fini par trouver la clef du mystère. Peut-être même possédait-il, sur les destinées ultérieures de Cyprien et d'Hyacinthe, des lumières que, pour une raison inconnue mais qui dut lui paraître impérieuse, il ne jugea pas opportun de me transmettre. Et cependant c'est à moi qu'il légua tous ses pauvres biens. Héritage modeste, mais si précieux à mon cœur. Quelques livres, quelques papiers. Ces notes et un recueil de petites prières manuscrites.

Il est mort très vieux. Jusqu'à la fin de sa vie il conserva un corps robuste et une belle lucidité d'esprit. La veille de sa mort, il bêchait encore son potager avec entrain.

Ce fut Aurélie Bouqueyrol (elle avait la charge de balayer l'église) qui le découvrit la première, à sept heures du matin, le 15 août.

Il était tombé entre son confessionnal et l'autel de la

Vierge. En tombant sa tête avait heurté contre la première marche de l'autel.

On nous avertit aussitôt. J'accourus. Il était si lourd qu'il fallut quatre hommes pour l'emporter.

Je ramassai son bréviaire.

Quand je l'ouvris j'y trouvai un feuillet plié en quatre.

Il ne contenait que ces mots :

« *Chaque soir, tu prieras, pour son paradis.* »

Et une date : *31 juillet.*

DU MÊME AUTEUR

LE JARDIN DES TRINITAIRES, *souvenirs.*

LE CHIEN BARBOCHE, *récit.*

MON COMPAGNON DE SONGES, *récit.*

UN RAMEAU DE LA NUIT, *roman.*

LE RÉCIF, *récit.*

TANTE MARTINE, *roman.*

UNE OMBRE, *roman.*

COLLECTION FOLIO

Impression Bussière Camedan Imprimeries
à Saint-Amand (Cher),
le 16 juillet 1998.
Dépôt légal : juillet 1998.
1er dépôt légal dans la collection : février 1973.
Numéro d'imprimeur : 983538/1.
ISBN 2-07-036337-6./Imprimé en France.